IMPRESSIONS

of

Granada

and the

Alhambra

Impressions of Granada and the Alhambra

Published by
Garnet Publishing Limited
8 Southern Court
South Street
Reading
RG1 4QS
UK

This edition copyright © Garnet Publishing, 1996
Introduction by Dr John Sweetman
Translation by Dr Elizabeth MacDonald

New edition 1996
Reprinted 1997
First published in French as *Souvenirs de Grenade et de l'Alhambra*,
by Veith and Hauser, Paris, 1837.

ISBN 1 85964 089 3

British Library Cataloguing-in-Publication Data
A catalogue record for this book is available from the British Library

Jacket and book design by David Rose
Production by Nick Holroyd
Reprographics by Phil Payter Graphics, Hampshire
Printed in Lebanon

Impressions
of
Granada
and the
Alhambra

by
Girault de Prangey

A new reproduction of Lithographs
of the pictures, plans and drawings made on his visits there in
1832 and 1833

by
Messrs. Bichebois, Chapuy, I. Coignet, Danjoy, Hubert, Girault de Prangey,
Toly, Monthelier, Roux, Sabatier, Tirpenne, Villemin, Villeneuve.
Figures by Bayot A. Alophe

With an introduction by Dr John Sweetman and a full translation of
Girault de Prangey's original text

First published in 1837
by Veith and Hauser, print dealers, Boulevard des Italiens, 11, Paris

First printed at the lithographical workshop of
Bernard and Frey, rue de l'Abbaye, no. 4

Garnet
PUBLISHING

1996

CONTENTS

———

PUBLISHER'S NOTE

The plates in this book have been reproduced from the original portfolio of lithographic prints, published in 1837 as *Souvenirs de Grenade et de l'Alhambra*.

In translating Girault de Prangey's introductory text and notes on the plates, we have retained both the original inconsistencies and the author's inaccuracies for historical interest.

INTRODUCTION

In the period of peace following the fall of Napoleon, European artists and writers experienced a new freedom of the imagination. The lure of unfamiliar ways of life from outside Europe inspired Byron to write *The Giaour*, a poem about a Christian in the Muslim society of Greece. Coleridge's *Kubla Khan*, published in 1816, conjured up startling images of a fabled Xanadu – with a stately pleasure-dome, caves of ice, and the sacred river Alph. Then in 1829 Victor Hugo published his poem-cycle *Les Orientales*, which included a highly fanciful evocation of a real Xanadu, Granada in southern Spain, with its old Moorish fortress-palace, the Alhambra.

Spain was one of the great discoveries of the Romantic imagination in the early nineteenth century. Visited intermittently by other Europeans before 1800, it had retained its air of difference, situated beyond mountains, the country of Don Quixote in which any adventure of the spirit might happen. Spain's distinctiveness was undoubtedly part of its attraction after Waterloo; it represented a new direction, and unveiled the achievements of a non-European culture which, long before, had held sway there – that of the Moors.

For centuries Western references to the 'Moors' had signified virtually any followers of Muhammad, and the term 'Moorish' had been indiscriminately applied to architecture and decoration of any Islamic type, including Arabian and Indian. It was known that the Moors from north-west Africa had ruled in southern Spain, and that from the eighth century to their official expulsion in 1492, they had also established a strong cultural presence there. Granada had been the capital of the Nasrids, the last Moorish dynasty to surrender to the Christians. None the less, while the Moorish architectural legacy remained, often enmeshed with that of the Christians, for most of Europe the Moors had lived on as a half-understood, generalized but indispensable part of Europe's vision of 'the East'. In Britain, the exotic Royal Pavilion, Brighton (1815–22), reflected Indian and Chinese aspects of this. But the wish was growing, as part of a deeper concern with the cultural evidence of distant centuries and non-European peoples, to record the Moorish achievement in Spain which had clearly been so rich. In the early nineteenth century each of these desires, the fanciful and the archaeological, could fortify the other.

Granada took a central place in this thinking. The city itself enjoyed a wonderful location – as Girault de Prangey explains in the book which follows – below the Sierra Nevada, in the valley of the Darro, while the Alhambra ('red fort') rose on the rocky height of Sabikah, opposite the delightful old Moorish district of the Albaicín. Early nineteenth-century travel-writers, conditioned by antiquarian study of medieval architecture elsewhere in Europe, and by fashions for battlements and bell-turrets, were predisposed to admire the fortress's rambling exterior. In his *Descriptive Travels in . . . Parts of Spain* (1811) Sir John Carr made the Alhambra his frontispiece, silhouetted against the setting sun. In 1807, returning from the Near East, the French writer Chateaubriand suggested that the Alhambra had been for the Moors what the Parthenon had been for the Greeks. It was a comparison that was often to be made.

The Alhambra's interior, however, went well beyond visitors' expectations, excited as these were by the writings of Hugo and others. Within the massive walls two of the Nasrid kings, Yusuf I (1333–54) and Muhammad V (1354–91), had constructed reception rooms and living quarters around courtyards bordered by slim arcades and crossed by water. The decoration in stucco and coloured tile was extraordinarily elaborate. Most of the rooms incorporated poetical inscriptions. The whole experience was a revelation of how magically different from the long-dominant finalities of European classicism Moorish effects could be.

Though Richard Ford was to write with feeling and insight about the Alhambra in his famous *Handbook for Travellers in Spain and Readers at Home* (1845), it was an American, Washington Irving, who was to make the building's reputation available to the wider public in his book of 1832, *The Alhambra*. A member of the American Legation in Madrid in 1826, Irving spent four months in 1829 living in the fortress, imbibing its atmosphere, looking down on Granada and collecting accounts of Moorish legend and folklore. His *Alhambra* volume, both in English and in Spanish translation, was a bestseller for the rest of the century.

While Granada and the Alhambra gained their popular reputation on the strength of such works as Irving's *Alhambra* and Jennings's *Landscape Annuals of Travels in Spain* (of which a Granada volume appeared in 1835), visiting artists were recognizing in the fortress-palace's wall-patterns, arcades and stalactite domes, a language of line and colour, movement and interval which merited not only admiration, but analysis. In 1815, a record of the architectural detail of the Alhambra had been included by a shadowy Irish antiquary, James Cavanagh Murphy, in his book *The Arabian Antiquities of Spain* (the result of a stay in Spain from 1802–9 and perhaps even earlier, around 1790), though the accuracy of this record could not always be relied on. As the Alhambra consolidated its fame in the 1830s, however, a dependable study of the building and its details became a priority. It was this, in the first instance, that was provided by the Frenchman Girault de Prangey, who arrived at Granada in 1832.

Philibert Joseph Girault de Prangey had been born in Langres, France, on 21 October 1804. He was the son of Claude-Joseph Girault and Barbe Piétrequin de Prangey. His mother's family had lived in Langres since the fifteenth century. Girault studied at the school of art there and went on to attend the École des Beaux Arts in Paris. He travelled in Italy, where his strong interest in architectural subjects showed itself. In Spain, in 1832, he became immersed in the evidence of Moorish art and architecture at Cordoba, Seville and Granada. He then made the record which led to the present volume. Having shown views of the Alhambra and Tunis at the Paris Salon, he embarked in 1842 on a long Eastern journey, which took him to Greece, Asia Minor, Palestine and Syria. He experimented with daguerreotype, among the earliest artist-travellers to do so. Returning to Langres in 1845, he became absorbed in studying regional antiquities (he had been one of the founders of the Langres Historical and Archaeological Society in 1834). He appears, however, to have kept up an interest in oriental lifestyle, continuing to publish books with oriental subjects. These were to include *Monuments Arabes et Moresques de Cordoue, Séville et Grenade* (1836–39), *Essai sur l'Architecture des Arabes et des Mores en Espagne, en Sicile et en Barbarie* (1841), *Monuments Arabes d'Égypte, de Syrie et d'Asie Mineure dessinés et mesurés de 1842 à 1845* (1846), and *Choix d'Ornements Moresques à l'Alhambra* (without date). He died at Langres on 7 December, 1892.

Girault was not the first Frenchman to become interested in Islamic architecture. The French architect Pascal-Xavier Coste (1787–1879) had been in Egypt in 1817 at the invitation of the Viceroy, Muhammad 'Ali, to plan industrial and communication projects, and had undertaken a detailed study of the mosques and other major Muslim buildings of Cairo. He published his findings in 1837–39. Coste's devotion to the detail of Islamic style was handed on to a younger generation, which included Girault and two other Frenchmen, Jules Goury (1803–34) and C. F. M. Texier (1802–71), as well as the Briton Owen Jones (1809–74).

Though Goury and Jones were to be closely involved with the Alhambra, Girault in 1832 was seeing Granada two years before them. In the *Impressions*, his preface on the city, comparing the interdependence of sky, setting and monuments there with Naples, Edinburgh and Constantinople, shows his eye for the picturesque, and his title-page illustration of the Generalife – the pleasure palace and garden of the kings of Granada – confirms it. But the interior of the Alhambra was to set a passion working in him for facts, exact comparisons, and totality of understanding. We see this, for example, in Girault's plan of the fourteenth-century courtyards and reception halls on Plate XXIX, and sections through the spaces on Plate XXX, which enable us to compare heights and widths of different parts of the complex almost at a glance. We see that (looking north) the Court of the Cistern (Cour de l'Alberca, now usually known as the Court of the Myrtles) has a larger arcade and higher roofline, befitting the long, vista-like space along which they are viewed, than the Court of Lions. The heights and widths of the respective facades also relate to the scale of the buildings beyond, the massive Comares Tower in the case of the Court of the Cistern and the pointed dome above the Hall of Two Sisters in the case of the Lions (see Plate XXX, top). Such niceties of relationship, easily taken for granted – if noticed at all – as we walk round, are made crystal clear to us as we look at Girault's plates.

Besides offering a considered view of the building's 'set pieces', Girault presents many observations here on the subject of colour in architecture. 'The same colours predominate', he notes (p.5), 'in both Tunis and Granada – gold, white, vermilion, emerald, deep green, and ultramarine in particular, which is used everywhere, even on the richest marble.' Colour, indeed, a central vehicle of direct expression for painters in the Romantic period, was also now the subject of close investigation for the part it had historically played in architecture. From the 1820s the realization was dawning that ancient Greek sculpture and temple architecture were originally coloured. In an architecture like that of the Moors, where geometrical pattern was a paramount concern, and wall-treatment was more a matter of plane than of mass; colour applied to wood, stucco and tile could help to make surface effects of extraordinary delicacy. Girault notes (p.14) the 'mosaics which are glazed in every possible colour, and . . . decoration and stuccowork whose hardness, brilliance and delicacy . . . have never been equalled.' While his vivid lithographs offer a convincing record of this detail, it is evident from what he and others tell us that much of the original colour of the stucco was no longer visible, but that traces remained which would allow reconstruction. And he was at pains to note the painted and gilded decoration in places where the originally intended effect had been preserved, as in the Court of the Cistern (Plate XV).

Girault's chosen medium of lithography reminds us that he was of the first generation to grow up with the lithograph. This print technique, discovered in 1798, had swiftly developed into a major form of book-illustration, since its chalky textures on the stone conveyed a sense of on the spot spontaneous drawing that engraving could hardly match. In the 1830s lithography's usefulness was being extended by the chromolithograph, printed from several stones, each bearing a colour. The colour effects of Pompeian-style interiors, Pugin's Gothic, and above all Islamic decoration, became splendidly available for reproduction. Lithography, answering a crying need among designers and historians alike, called for special care in balancing colours, a challenge usually, if not always, met by Girault's colour-printers. Despite the problems created by such complex patterns, the *Impressions* remains a beautiful and dedicated record, taking a valued place among the succession of Girault's other works and the writings of those which followed him.

Among these works, so far as the Alhambra was concerned, Owen Jones's two-volume *Plans, Elevations, Sections and Details of the Alhambra* (1842, 1845) was to provide a complete transcript of the decoration, which Jones had first studied in 1834 and then in detail in 1837. The archaeological, fact-finding phase of Alhambra studies was deepening: Jones took scrapings of the original colours beneath the overpaint, and made numerous drawings, paper impressions and casts. But it was a tribute to Girault that Jones, who was to be so identified (through his famous *Grammar of Ornament*, 1856) with the lessons of Alhambraic pattern for the contemporary world, had the Frenchman's work on Granada and its fortress-palace on his library shelves.

JOHN SWEETMAN

GRANADA

———

Granada lies within a great amphitheatre of mountains which, beginning at the summit of the Sierra Nevada,[1] encircle the city and the delightful *vega*[2] which stretches out beneath.

The city spreads over the gentle slopes of two hills separated by a valley covered with gardens of orange trees, watered by the winding, fast-flowing River Darro. The Alhambra with its protective Vermilion Towers, and the Generalife, which rises above it, lie like a crown above the enchanted city. Granada evokes dreams of cool woods, marble palaces, gardens of everlasting flowers and multitudinous fountains. Like Naples, Edinburgh, Constantinople, it is a city which owes its unrivalled uniqueness to its sky, its position and its monuments.

At one end of the city, below the shady slopes of the Martyrs, the River Genil flows by the beautiful Paseo del Salón and joins with the Darro, which also irrigates the groves of the Generalife and the Alhambra, and then winds through part of Granada. In the north is the Albaicín, almost a town apart, hastily built by those who fled from Baeza, from which it took its name. It is overlooked in turn by the triangle of old ruined fortifications at the chapel of San Miguel, once a fortified castle, whose position is reminiscent of the Casbahs of Algiers and Bizerte, and of all the towns along the Mediterranean coast which were occupied by the Saracens in the Middle Ages.

Rome has the Coliseum, with its impressive and powerful colour tones. Naples has an Eastern sky and trees with golden apples, while Berne has a majestic horizon of snow and glaciers. Granada has all of these. The golden Alhambra sparkles against the snow of the Sierra, while at its feet, palm trees sway above orange and cypress trees.

It is a city of painters and poets, as I have tried to convey, leaving aside the modern palaces and beauty of Granada in favour of the old city walls and wooden houses with their patios,[3] shaded by bushes and vines, the embroideries, the delicate adornments, and above all, the monuments bearing the mark of genius of a nation. Only in Granada were such brilliant traces of its noble civilization left.

---

1   Snowy mountains.

2   Plain.

3   Courtyard within a dwelling, an exact imitation of the Roman cavædium.

At the time of the conquest of Spain by the Arabs, Granada consisted of a poverty-stricken group of foreigners living under the protection of a fortress, but it absorbed ten thousand knights from Syria and Iraq, all from the noblest Arabian tribes. At that time the city expanded somewhat, but it did not become important until the tenth century. Its Walis, or governors, who were appointed by the Caliphs of Cordoba, sought in vain to make it an independent state.

However, after the fall of the Caliphate, each Christian success drove the vanquished and fleeing population to the Muslim states in the south of Spain, firstly to Cordoba, then to Valencia and Murcia. They were welcomed by Muhammad Ibn al-Ahmar, and in 1236 he became the first of the kings of Granada. From that time on, an era of increasing opulence and prosperity began, which made Granada one of the most outstanding cities for more than two centuries, which historians describe as a perpetual garden of flowers and fruits, and the pride of Islamic Spain. It was a safe haven from the approaches of Christian kings, with whom Muhammad created alliances, and science and art both developed freely. For a while Muhammad's court reflected the century when Abdul Rahman, conquerer of all Spain, lived in his palace in Cordoba, surrounded by the most distinguished and talented scientific scholars in Europe and Asia.

Seville was also to contribute to the growth of Granada, as Muhammad had the sad task of escorting King Alfonso during the siege of this town, whose unfortunate inhabitants never returned to Africa, but took refuge in Granada, the only stronghold which the victorious arms of the Christians still respected.

Muhammad's successors continued this peace, perhaps at too high a cost, and Kings Muhammad II, Nasar and Yusuf Abul Hagiag were able to concentrate on beautifying their capital city and improving their institutions. In those days it abounded in luxurious palaces, whose gardens of orange trees and myrtle were constantly bathed by gushing fountains, installed at great cost and established freely throughout the city. The Battle of the River Salado in 1340 was a grievous blow to Moorish power, although the wisdom of Abul Hagiag saved the day. Soon after, under his successor Muhammad V, Granada became perhaps richer and more powerful than it had ever been. Its tournaments and festivals became the meeting point for the Muslim and Christian nobility from far-flung countries, while the ports of the realm were filled with merchant ships from all over the world.

But the divisions and internal quarrels which had reduced the Arab empire, that had once threatened Europe, to the sole kingdom of Granada, brought about the complete downfall of their occupation of Spain, which had begun seven centuries before. Soon the union of the crowns of Castile and Aragon signalled the final triumph of the cross over the crescent moon. Driven back on all sides, the Muslims had no other refuge than Granada, upon which Ferdinand and Isabella's army marched, piling victory upon victory. The city finally succumbed on 6 January 1492, when the cross was raised from the highest tower of the Alhambra, and its king, who had lacked the courage to defend it, was to die in a country not his own.

After this catastrophe Granada might have remained as it was, but treacherous advisers erased any conscience Ferdinand had and, failing to keep his word, he resolved to convert or rather to annihilate the Moors. This barbarous work of destruction was pursued with vigour by his successors.

Charles V wanted to visit Granada, but the palace he ordered to be built there lasted less time than the memory of the Inquisition he took with him.

Philip II succeeded him, and the desperate resistance of the last Andalusian Moors broke out during his reign. Tracked like wild beasts, none escaped. They all disappeared, and with them everything which had been the glory of Spain, the most enlightened country in the world during the darkness of the Middle Ages.

After walking through Plaza de Bib-Rambla, the Zacatín, the Alcaicería and the narrow, crowded streets of Granada which retain their Moorish appearance as well as name, it is a delightful feeling to discover the clear fountains and cool avenues of poplars and elms which lead up to the Alhambra.[4] The woods and orchards which surround this magnificent fortress on all sides begin at the Gate of Pomegranates, built by Charles V. On the right a dark canopy of greenery, enlivened by the noisy, sparkling waters of a brook beneath it, slopes sharply down to the Charles V fountain. The Gate of Justice rises above it, with its marble, inscriptions and gigantic archway preserved, the essence, nature and colour of which are reminiscent of the imposing ruins of the Temple of Peace in Rome, or those of Nero's golden palace.[5] Leaving its dark rooms behind, one soon arrives at the centre of the Plaza de los Aljibes, a huge esplanade dividing the Alhambra into two distinct halves. One of these is completely fortified, with its crenellated walls and towers overlooking the city,[6] while the other is much more extensive and consists of the Prince's palaces and those of his main officers. Most of the towers of the Alcazaba still remain. The most famous one, the Watchtower (Torre de la Vela), is set commandingly above Granada and its plain, but

---

4   Plate 18.
5   Plate 3.
6   Plate 23.

debris from the Tower of Arms (Torre de las Armas), the Broken Tower (Torre Quebrada) and the Homage Tower (Torre del Homenaje) falls to the ground daily, and soon the towers will disappear totally. Directly opposite, on the other side of the square, other more modern ruins go back to the time when Charles V wanted to make his court at Granada. In 1526 he ordered a luxurious palace to be built using the plans of the architect Berruguete, who was in charge of the project, but its colonnades and porticoes lack even a roof now. In order to make room for it and set it apart, a section of the Palace of the Moorish Kings was destroyed. Fortunately, the lovely Gate of Wine was spared, perhaps owing its preservation to the everyday use for which it was intended.[7] Even as it is today, burdened by the tumble-down roofs and buildings surrounding it, it is a masterpiece of elegance and originality. Its clean outlines, delicacy of detail and mosaics make it one of the most precious adornments of the Alhambra. Beyond the Palace of Charles V, near the outer walls, sections of wall covered in stucco and the debris of earthenware artefacts leave no doubt that a palace, probably that of the Mufti, disappeared fairly recently. The whole scene cast against the glistening white snow of the Sierra creates the most picturesque impression with its vast heaps of stone hidden beneath bowers of vines and climbing shrubs, and vigorous fig trees growing amid the ruins. It brings to mind the brightly coloured vegetation of the Sorrento or Civita-Castellana valleys, and the foothills of the Jungfrau or Mont-Blanc.

The marvels of the Plaza de los Aljibes are no longer visible. Only the Palace of Charles V attracts the attention, and the opposite side of the Plaza to the one through which one enters reveals only its bare walls sullied by age. Then, a simple doorway without ornamentation, which might easily be overlooked, opens suddenly upon the Alhambra. Nothing can equal the magnificence of this first view. The Comares Tower rises majestically at one end of an enormous courtyard, surrounded on all sides by galleries, columns, flower-beds, gushing fountains, and the whole scene of dazzling light is reflected in the clear waters of a magnificent ornamental pool.[8] On the right, through columns and arches criss-crossing in all directions, the silver spray of the Fountain of the Lions can be glimpsed in the distance,[9] yet one's whole attention is absorbed by the magical colour and impressions of the initial scene. In the background, beneath a gallery, an archway still laden with gold, silver and azure acts as

---

7 Plate 10.

8 Plate 21.

9 Plate 4.

an entrance to the Antechamber (Antesala). This room is as wide as the Court of the Cistern (Patio de la Alberca). The whole of its marvellous cedarwood vault is covered in drawings in bright and varied colours. At both ends, two semi-columns covered in mosaics support the pendentives of the vault, which terminates in a semi-circle, a shape which gave the room its name of the Room of the Ship (Sala de la Barca). This part of the Alhambra has retained its magnificence and original nature better than any other, and has been restored many times since the Reconquest, with skill and good taste. The ancient palaces of Tunis today have almost exact copies of its carved and painted wooden ceilings, at least in form if not in perfection of execution, as well as copies of its inscriptions, stucco decoration and highly original interlaced mosaics. The same colours predominate in both Tunis and Granada – gold, white, vermilion, emerald, deep green, and ultramarine in particular, which is used everywhere, even on the richest marble.

The Hall of the Ambassadors is the most imposing and splendid in the Alhambra. Its vault has resisted erosion by the weather for nearly five centuries, and is still covered with painted or gilded inlaid wood. It is over 60 feet high, and the entire space above the hall is filled with the most stunning combination of forms, decoration and details that the imagination could ever create.

The Hall has nine windows with beautiful mosaics in between them. From its balconies, the eye takes in the Generalife, the delightful gardens near the Darro, and half of Granada which spreads out at the bottom of the valley and is lost in the distance in an endless plain.[10] The archway in the middle of the fourth side reveals the Court of the Cistern (Patio de la Alberca) in all its pomp, and a new scene is revealed. Its jagged galleries support a second courtyard, whose grace contrasts remarkably with the total height of the building. The heavy jets of water at the two ends of the ornamental pond shine against the dark, bluish tones of the vaults of the porticoes and the Antesala.[11]

The rest of the palace, to the west of the Court of the Cistern, has undergone so many successive restorations that none of its numerous rooms could be said to be truly Moorish. The Court of the Mosque still retains exquisite sculptural detail on two sides, and a projecting wooden cornice lends particular interest to the south façade, suggesting the former glory of these battered roofs which overhang the slender, elegant galleries of the Court of Lions and of the Cistern.

---

10   Plate 14.

11   Plate 15.

To the east of the Hall of the Ambassadors, a long, modern gallery leads to a high tower, once inhabited in Moorish times, and now called the Queen's Bower (Peinador de la Reina), and consisting of a ruined room beneath an enchanting belvedere built by Charles V, where the towns and battles which reminded him of his Tunisian victories are painted in the manner of the time. The visit of the Empresses Isabella and Elisabeth of Parma gave rise to restoration of part of the palace between the Queen's Dressing Room (Tocador de la Reina) and the Court of Lions. One of these modern rooms communicates via a long, entirely Moorish room with the Tower of the Infantas[12] and the Hall of Two Sisters, preserved almost unaltered to this day. These two rooms, together with the Hall of Justice[13] and that of the Abencerrajes bring together all this richness, this profusion of infinitely varied detail in the highest degree, and the happy, tasteful combination of all this never lets one feel that it is a disordered or pointless whim, but that it serves a purpose.

The floating cupolas in the shape of pine cones are masterpieces of art, daring, rising above the Hall of Two Sisters and that of the Abencerrajes. They are like immense vaults of regularly formed stalactites, reflecting all the colours of the prism. The upper levels of these halls were probably used by women only. Behind the wooden trellises which are still preserved today, they could take part in festivals and entertainments without being seen.

The famous Court of Lions occupies the centre of this part of the palace. Its fountains are dry, the graceful vaults of its dayrooms and its marble have all disappeared, yet it is still the most voluptuous retreat in this magical palace. Four avenues bordered with roses, jasmine and myrtle lead to the Fountain of the Lions, a totally poetic monument where the crudeness and strangeness of the sculptures contrast so strongly with the good taste and gracefulness of their surroundings. Beds of flowers here and there perfume the air with sweet scents, and replace the white marble flagstones which once covered the whole area of the Court.[14]

A walled-up doorway near the Hall of Justice once led to the tombs of the kings. However, all these parts of the palace, even the baths, are interesting merely in terms of their layout, as they are unrecognizable today. Only their names remain.

Beyond the Queen's Bower (Peinador de la Reina), the thick outer wall of the Alhambra has collapsed. Ruined towers periodically punctuate the path to the group

---

12 Plate 8.

13 Plate 28.

14 Plates 4 and 26.

of buildings known as the Prince's Palace.[15] Nothing can equal the minutely detailed perfection of the stuccowork in his Mirador (lookout). It is an exquisite miniature of all the grandiose beauty of the palace.

Beyond the Gate of Iron, a solitary path among thick clumps of fig trees and wild pomegranates merges into the orchards of the Generalife. Tall cypresses planted by the Moors still herald the ancient royal residence. From the vantage point of its terraces, permanently covered in flowers, one can see nearly the whole of Granada lying beneath, rising from the bottom of the valley like an amphitheatre as far as San Miguel's hermitage. On the left, the Alhambra's crown of towers stands out as if scalloped against the snow of the Sierra.

15   Plate 24.

ALHAMBRA

———

The Alhambra is a vast fortification encircled by high outer walls and towers on the plateau of the Sierra del Sol.[16] On all sides except the east, this position is protected by unassailable hillsides. From Granada, people climbed up the fast Gomerez road, which retains the same name today, and also leads to the Vermilion Towers, a group of colossal constructions of Roman or possibly Phoenician origin, situated on another hill facing the Alhambra.

It is almost certain that before the middle of the thirteenth century, the Alhambra only consisted of the fortification known as the Alcazaba.[17] But Muhammad I then arrived from Seville, which had been conquered by Ferdinand. Possibly for this reason the idea of building his palace in the middle of a fortress, surpassing any of our modern citadels in its grandeur, was conceived. Muhammad's choice was justified by the delightful view from its heights, as well as the abundant water which could be diverted there. In a short time these desert areas were traversed by irrigation canals in all directions. Towers and palaces appeared as if by magic, and before the end of his reign in 1273, the Alhambra was almost finished. Nothing external announced the magnificence or the marvels of its interior. High walls with merlons and square towers with the occasional small opening characterized the Alhambra from the outside in the fourteenth century, and this aspect has been preserved.

At that time, the main entrance gate was the massive tower later called the Torre de los Siete Suelos,[18] through which the unhappy Boabdil passed to lay his crown at Ferdinand's feet.

The beautiful Gate of Justice was not built until 1348 by Yusuf Abul Hagiag. It was the hall of justice of the kings of Granada, like those found today in the kingdoms of Eastern princes and the states of the Barbary coast.

Charles V thought he could improve on the beauty of the place and perhaps eclipse the Moorish palace, but his stay at Granada was only notable for the

---

16   Mountain of the Sun.

17   The Castle.

18   Tower of the Seven Heavens.

construction of some cumbersome fountains, and the palace, crushed beneath the weight of marble and ornamentation, which remained unfinished. He should be eternally chastised for the destruction of part of the Alcazar,[19] sacrificed to enlarge this Germanic building.

The Alhambra only retains the marvels and wonders that man cannot take away: its sky and the scented breezes from the mountains. But its gold and blue palaces, its mosques with shining cupolas, its minarets, even its gardens have disappeared. Two or three convents, a few poor families living among the ruins, old invalids dying of hunger, these are the successors of the kings today.

---

19   Royal castle.

DESCRIPTION
OF THE PLATES

———

Impressions of Granada and the Alhambra

FRONTISPIECE

The curved shape and main decoration on the Moorish vase in the Archives of the Alhambra Palace have been preserved. Several vases discovered in Sicily were very similar in shape, material used and production. They were made of glazed earthenware, generally with a gold and white pattern on an azure background.

PLATE II

VIEW OF GRANADA AND THE SIERRA NEVADA
From the top of the Albaicín, near San Christobal's church.
The Alhambra is in the centre, while the Generalife is on the left, amid its gardens and cypress trees. In the distance, the snow of the Sierra Nevada glistens. The ruined walls in the middle ground were those of Granada before the Albaicín district was built in 1229.

PLATE III

GATE OF JUSTICE

The present entrance to the Alhambra and former hall of justice of the Moorish kings. On the left are the Vermilion Towers, colossal constructions that have been repaired many times since they were built and that probably predate the founding of Granada. The mountains in the background are those of Elvira and Loja.

PLATE IV

ENTRANCE TO THE COURT OF LIONS

PLATE V

DETAIL OF THE COURT OF LIONS

PLATE VI

GARDEN OF THE CONVENT OF SANTO DOMINGO

This convent is on the site of a Moorish building whose purpose is uncertain. It definitely was linked with the Alhambra, in spite of its distance away, via one of the underground passages which ran beneath the city in all directions. It is a delightful spot. The room preserved at the bottom of the garden overlooks the *vega*, and is decorated with the most charming mosaics, probably of Moorish origin. (See surround to text, page 5.)

PLATE VII

PASEO DE LA FUENTE DE AVELLANO

A very picturesque avenue in Granada. Before reaching the fountain, a long road climbs up the slopes of the Sierra del Sol, amid gardens of orange and lemon trees called Cármenes del Darro.

PLATE VIII

HALL OF THE INFANTAS

One of the most splendid apartments of the Alhambra. It was probably a rest room, reminiscent of those in palaces in Tunis, Algiers and towns along the Barbary coast where the Moors fled after the conquest of Granada. The stuccowork is carried out with remarkable delicacy, and some of the paintings have been preserved.

PLATE IX

DETAIL – HALL OF THE INFANTAS

1 and 2. Capital from the Court of Lions. 3 and 6. Portion of the entrance arch to the Hall of the Infantas. 4 and 5. Frieze and decoration on the side of the background arch. 7. Mosaic from the Hall of Two Sisters.

PLATE X

GATE OF WINE

Monument contemporary in style to the Gate of Justice. Its Arabic name was lost when wine for consumption by the inhabitants of the fortress and of the parish were stored there in 1564.

HOUSE IN THE ALBAICÍN

This picturesque courtyard, shaded by vines, is a striking reminder of old Moorish houses, which were themselves copies of the elegant houses which can be admired at Pompeii. As in Tunis, often a piece of material was hung over the whole courtyard to provide shade from the burning heat of the climate, while a pretty fountain played in the centre, surrounded by flowers and shrubs.

PLATE XI

RUINED MOORISH BATHS

The main room of a building which has been completely destroyed, but whose purpose leaves no doubt, as it contains everything which constitutes a Moorish bath of today. There is an entrance courtyard with rooms around it; an initial room, then another larger one (as drawn), then a third with platforms and beds to rest on, and finally a garden. (See general plan of these baths, Pl. 30.) Once more this is an exact replica of ancient baths both generally speaking and in specific detail. The capitals of the columns in this room are very curious, and may date back to the tenth or eleventh centuries. The very old Kufic characters on one of these are evidence of their origin and era. (See Pl. 22.)

PLATE XII

GENERALIFE GARDEN

Original model for gardens in Andalusia, the entrance to the Generalife has the most picturesque and unexpected view. Age-old yews bent into archways shade the courtyard, and a fountain's jet of water rises up to the level of the palace galleries. The much discussed Generalife is a model for a host of African constructions whose only role was to provide a few moments of pleasure for the happy owner of these dwellings. Sometimes a main building accompanies the gardens and summer houses, and it is then a complete villa with a harem, baths and all the obligatory accessories of a Moorish household.

PLATE XIII

LOS HORNAJOS, ROAD TO THE VELETA PEAK

In the middle of the Sierra Nevada with its perpetually snowcapped mountains, the peak of the Veleta rises majestically to rival the height of Mont Rosa. Its summit can be reached more easily than any other comparable mountain, and from the top one can see Gibraltar, the Barbary coast, Ceuta and all the Alpujarra mountains. Below lies the vast basin of Granada and its *vega*, terminated by the mountains of Elvira, Jaén and the Sierra Morena in the distance. The scenes offered everywhere along the route have a strange feeling of desolation and horror, unlike any other site in the Alps, Apennines or even the mountains of Calabria.

PLATE XIV
PATIO DE LA ALBERCA (COURT OF THE CISTERN) – NORTH WINDOW,
HALL OF THE AMBASSADORS
The windows in the Hall of the Ambassadors reveal that the walls of the Comares Tower have an average thickness of almost 9 feet, and were built like all the others of the Alhambra out of a basic mixture of limestone and strongly coloured clay. This method of construction seems to have been practiced exclusively by the Moors in Spain, as it is still in general used by the nations of the Levant and Barbary. The latter have, however, improved the mixture by adding straw and wood, which bind the materials together more effectively. This crude preparation was given to the mosaics which are glazed in every possible colour, and to the decoration and stuccowork whose hardness, brilliance and delicacy, in particular, have never been equalled. Interestingly, almost the same type of decoration can be found in the Norman churches of Sicily, and especially in the Ziza and Cuban palaces built by the Arabs or by native workers at Palermo, during the reigns of the Rogers and Williams.

PLATE XV
COURT OF THE CISTERN
From Moorish times, a doorway led to the centre of the gallery which ended in a vast staircase joining this courtyard to the Palace of Charles V. The painted and gilded decoration has been preserved on the columns of the galleries and particularly on the entrance archway.

PLATE XVI
DETAIL – COURT OF THE CISTERN
1, 2 and 3. Capital and decoration on central archway. 4. Part of the main archway. 9, 10, 11. Details of the small pendentive arches of No. 4. 5 and 6. Semi-columns on which the pendentives of the Room of the Ship (Sala de la Barca) rest. 7 and 8. Details of the capitals of the semi-columns.

PLATE XVII
CHAPIZ'S HOUSE
The Albaicín, which was mainly inhabited by Moors after the conquest, has echoes of

the Alhambra in nearly all its houses, in their courtyards, galleries, columns and fountains. Chapiz's house has the remains of some stucco decoration and elegant columns made of Macael marble, and in particular, a very picturesque *patio* made entirely of wood.

Plate XVIII
Avenue and Main Towers of the Alhambra

The former gateway to the Alhambra, in the centre of the Tower of the Seven Heavens on the right against the outer wall, is today hidden by a bastion dating from the time of Charles V, and by thick clumps of fig and pomegranate trees. The beautiful avenue which runs beside it leads from Granada to the Generalife through delightful woods cooled by flowing water, and scented by the perfume of numerous neighbouring gardens. In spite of all these charms, it is always solitary and abandoned, except at the end of autumn, when the feast-day of a revered saint attracts the entire population of the city there. The towers in the centre of the drawing are the Watchtower (Vela), the Broken Tower (Quebrada), and lower down, the tower of the Gate of Justice.

Plate XIX
Moorish Sword

This sword, carefully preserved at the Generalife, is generally thought to have belonged to King Boabdil, or to some prince from his line. It is perhaps the only Moorish sword to be seen in Granada where, with the exception of a few coins, almost no object remains dating from the Arabic era.

Plate XX
Hall of the Tower of the Infantas

This tower is very interesting because of its comfortable, complete interior layout. (See plan, Pl. 30.) It had two floors, the upper one probably for the use of women. Both tower and cupola are partly destroyed, although the ground floor rooms have suffered less, only losing some of their ornamentation.

Plate XXI
Court of the Cistern

This is the largest courtyard in the Alhambra, and is thought to have been in the centre of the palace of the Moorish kings, although it is almost impossible to verify today the exploratory work carried out at different times, and notably in about 1802, by the architects of the San Fernando Academy. According to their plan, approved by the judicious author of a small work on the Alhambra published in Granada in 1804, the Arab palace formed a rectangle 454 feet by 250 feet, enclosing five courtyards, the main one of which was the Alberca, often called the Mexuar, or Arrayanes (Court of Myrtles). The Court of Lions was on the east, with another beside it destroyed long ago by the erosion of part of the mountain, and today replaced by the Lindaraja garden. To the west, two other courtyards corresponded symmetrically to those on the east, but little remains of them except for parts of the rooms surrounding the north patio. The main façade was to the south with a great central gate opening onto a vestibule before the Plaza de los Aljibes.

It is a shame that no example of a similar layout in old or modern Arabic palaces can substantiate this opinion.

PLATE XXII

VARIOUS DETAILS

1. Archway, west gallery of the Court of Lions. 2. Frieze. 3. Part of a window near the Hall of the Infantas. 4. Moorish bas-relief, the only one in Granada. The rather crude surrounding inscription shows from the lettering that it was probably fourteenth century. 5. Mosaics in the Hall of the Ambassadors. 6. Fountain of the Lions: height of the upper section 2.13 metres; diameter of the main pool - 2.51 metres. 7. One of the lions in the fountain, height to its head - 0.85 metres. 8. Capital of Moorish baths (Pl. 11 and Pl. 30). 9. Lozenge-shaped ornamentation on the space above the archways in the Court of Lions.

PLATE XXIII

PLAZA NUEVA IN GRANADA

The Plaza Nueva is one of the biggest in Granada. It rests partly on top of the remarkable underground vaults attributed to the Romans, but certainly maintained and repaired by the Moors. Beneath these vaults flows the often powerful current of the River Darro which comes down from the nearby mountains and joins the Genil almost in the centre of the town. The Chancellery Palace, built allegedly according to the plans of a French architect, is the main feature of this square. Several nearby churches have ceilings which are strange imitations of the Alhambra, and their bell-towers are often decorated with Moorish-style earthenware tiles.

PLATE XXIV

CUESTA DE LOS MOLINOS

Picturesque gully to the east of the Alhambra through which a stream runs and powers several mills hidden beneath arbours of vines and fig trees. There are various beauty spots overlooked by the imposing group of buildings including the Prince's Palace, the Queen's Bower and the beautiful Comares Tower.

PLATE XXV

DETAILS – COURT OF LIONS

a. Frieze. - *b.* Mosaic inscription from the Hall of the Infantas. - *c.* Frieze. 1, 2, 3. Old wood which supported the projecting part of the roofs of the gallery of the Court of Lions. It is very rare to find any at all. 4. Part of the great central archway of this court and the adjacent one. 5 and 6. Transverse ribs of these two arches. 7. Entablature extending for the whole length of the courtyard, above the arches. 8. Portion of a double cedar door, from the Hall of Two Sisters. 9. Detail of the upper part of this door. 10. Piece of marble in which the lower upright fitted.

PLATE XXVI

COURT OF LIONS

In the centre of the two short sides, the Court of Lions presents a spectacle of elegant pavilions, sadly now in ruins although repaired, with more zeal than skill, many times. Granada's occupation by the French was beneficial to its monuments. The deserted Alhambra filled with rubble was almost entirely recovered and restored, and its fountains played again amid flower-beds and tastefully planted shrubs.

PLATE XXVII

DANCES AND CUSTOMS OF GRANADA

PLATE XXVIII

HALL OF JUSTICE

The Hall of Justice contains some very curious paintings whose origin is a matter of dispute. These pictures are brightly coloured and naïve in their drawing, recalling the style and manner of Chinese paintings and the miniatures of Persian manuscripts. What helps to prove their Moorish origin therefore is their similarity in technique of preparation and execution to those found in Barbary and particularly in Morocco. One remarkable feature of these paintings is that they were painted on animal skins sewn together, then glued and attached to the wood that formed the vault.

PLATE XXIX

GENERAL PLAN OF THE ALHAMBRA FORTRESS – DETAILED PLAN OF THE ALHAMBRA PALACE
The same scale has been adopted for this plan as was used when this plan was recently published in London, in order to identify differences between them more easily. Only the Moorish parts of the palace are shown, and are indicated by very dark ink. Those whose origin or construction are doubtful are left incomplete.

TRANSLATION OF THE KEYS ON PLATE XXIX

a	Gate of Pomegranates
b	Charles V fountain
c	Gate of Justice
d	Gate of Wine
e	Broken Tower (Torre Quebrada)
f	Homage Tower (Torre del Homenaje)
g	Watchtower (Torre de la Vela)
h	Tower of Arms (Torre de las Armas)
i	Palace of Charles V
j	Current entrance to Moorish palace
k	Court of the Cistern
l	Courtyard of the Mosque
m	Comares Tower (Torre de Comares)
n	Garden of Lindaraja
o	Courtyard of the Baths
p	Court of Lions
q	Queen's Bower
r	Prince's Palace
s	Tower of the Peaks (Torre de los Picos)
t	Sultan's Tower (Torre del Sultán)
u	Tower of the Infantas (Torre de las Infantas)
v	Tower of Water (Torre del Agua) (destroyed)
x	Tower of the Seven Heavens (Torre de los Siete Suelos)
y	Tower of the Captive (Torre del Cautivo) (destroyed)
z	Mufti palace (destroyed)

a'	Gate of the Lane
b'	Parish of Sainte Marié in the Alhambra
c'	Convent of San Francisco
d'	Ruins of an Arab building
e'	Gate of Iron
f'	Generalife gardens
g'	New Darro avenue
h'	Great cistern

PLATE XXX

SECTIONAL DRAWINGS OF THE ALHAMBRA PALACE

1.   Details of the central archways of the Court of the Cistern.

2.   Details of the various arches in the Court of Lions.

Sections on lines A B C D F G H – K L – M, N – O P of the plan, Pl.29.

E N D

SOUVENIRS

DE

GRENADE ET DE L'ALHAMBRA

par

GIRAULT DE PRANGEY

Lithographies

Exécutées d'après ses tableaux, plans et dessins faits sur les lieux en 1832 et 1833,

Par MM.

Bichebois, Chapuy, J. Coignet, Danjoy, Hubert,
Girault de Prangey, Joly, Monthelier, Roux,
Sabatier, Terpenne, Villemin, Villeneuve,
Figures par Bayot et Alophe

Paris, chez Veith en Hauser, Md d'Estampes, Boulevard des Italiens, 11.

Imprimé à l'établisst lithographique de Benard et Frey, rue de l'Abbaye, N°4.

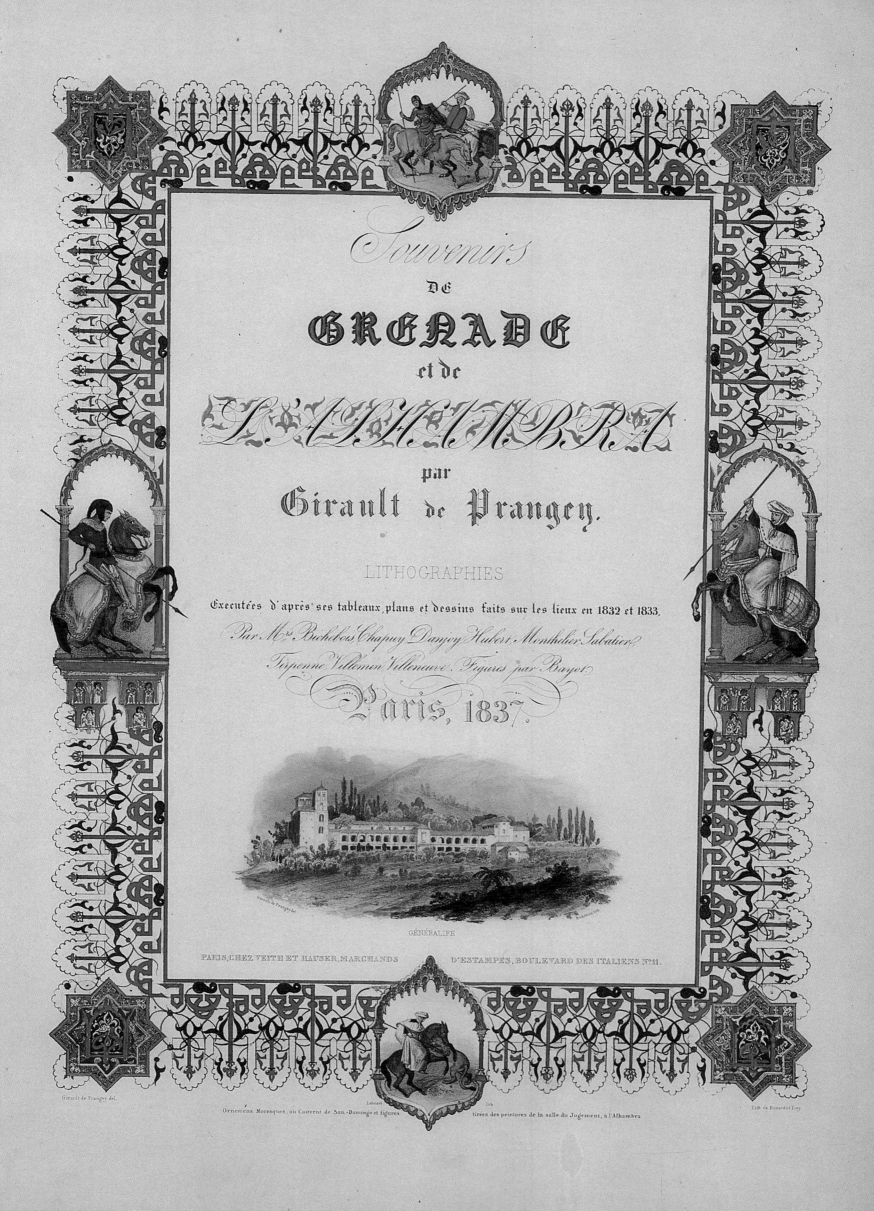

Souvenirs

DE

GRENADE

et de

L'ALHAMBRA

par

Girault de Prangey.

LITHOGRAPHIES

Exécutées d'après ses tableaux, plans et dessins faits sur les lieux en 1832 et 1833,

Par MM. Bichebois, Chapuy, Danjoy, Hubert, Monthelier, Sabatier, Tirpenne, Villemin, Villeneuve. Figures par Bayot

Paris, 1837.

GÉNÉRALIFE

PARIS, CHEZ VEITH ET HAUSER, MARCHANDS D'ESTAMPES, BOULEVARD DES ITALIENS N°11.

Girault de Prangey del.   Lehnert lith   Lith de Benard et Frey.

Ornemens Moresques, au Couvent de San-Domingo et figures   tirées des peintures de la salle du Jugement, à l'Alhambra

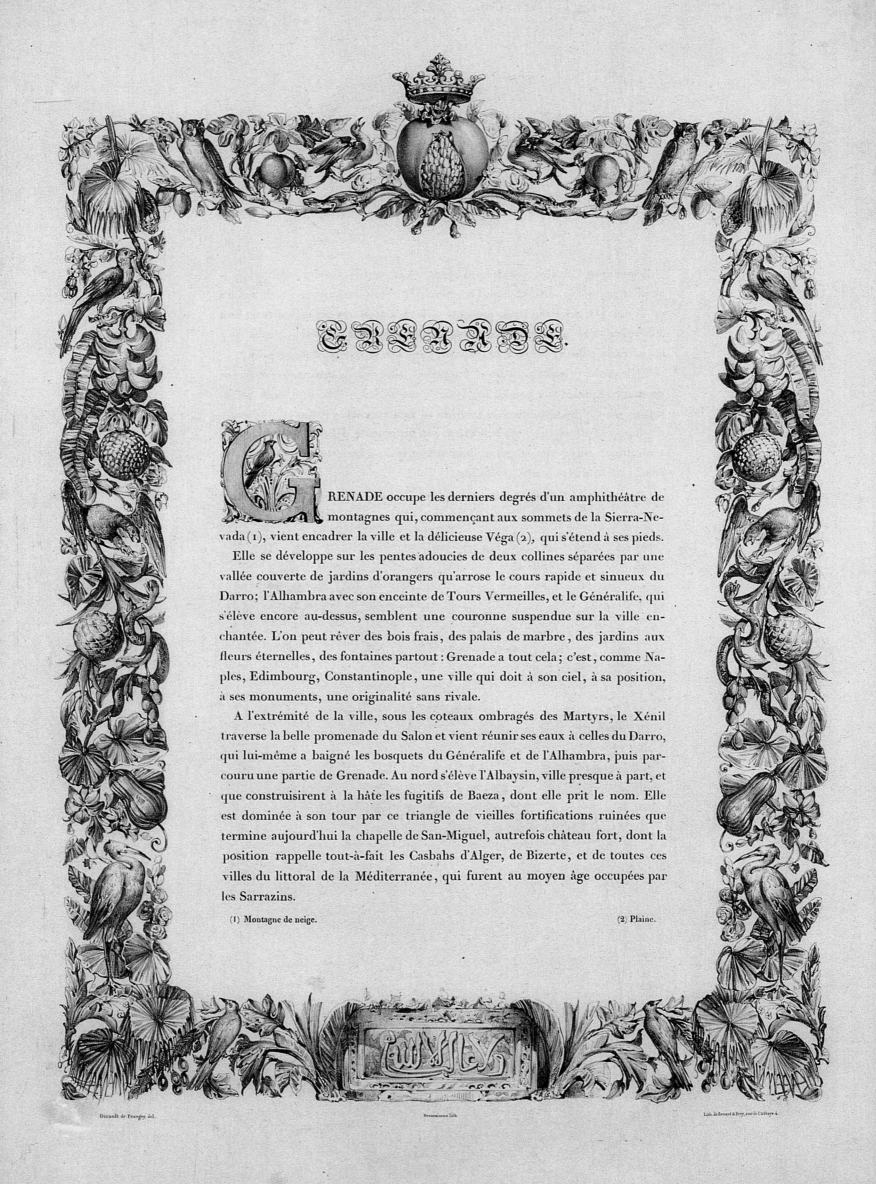

GRENADE.

GRENADE occupe les derniers degrés d'un amphithéâtre de montagnes qui, commençant aux sommets de la Sierra-Nevada (1), vient encadrer la ville et la délicieuse Véga (2), qui s'étend à ses pieds.

Elle se développe sur les pentes adoucies de deux collines séparées par une vallée couverte de jardins d'orangers qu'arrose le cours rapide et sinueux du Darro; l'Alhambra avec son enceinte de Tours Vermeilles, et le Généralife, qui s'élève encore au-dessus, semblent une couronne suspendue sur la ville enchantée. L'on peut rêver des bois frais, des palais de marbre, des jardins aux fleurs éternelles, des fontaines partout : Grenade a tout cela; c'est, comme Naples, Edimbourg, Constantinople, une ville qui doit à son ciel, à sa position, à ses monuments, une originalité sans rivale.

A l'extrémité de la ville, sous les coteaux ombragés des Martyrs, le Xénil traverse la belle promenade du Salon et vient réunir ses eaux à celles du Darro, qui lui-même a baigné les bosquets du Généralife et de l'Alhambra, puis parcouru une partie de Grenade. Au nord s'élève l'Albaysin, ville presque à part, et que construisirent à la hâte les fugitifs de Baeza, dont elle prit le nom. Elle est dominée à son tour par ce triangle de vieilles fortifications ruinées que termine aujourd'hui la chapelle de San-Miguel, autrefois château fort, dont la position rappelle tout-à-fait les Casbahs d'Alger, de Bizerte, et de toutes ces villes du littoral de la Méditerranée, qui furent au moyen âge occupées par les Sarrazins.

(1) Montagne de neige.   (2) Plaine.

Girault de Prangey del.   Bestmann scu. lith.   Lith. de Benard & Frey, rue de l'Abbaye 4.

Rome a son Colysée, sa couleur puissante et solennelle; Naples, son ciel d'O-
rient et ses arbres aux pommes d'or; Berne, l'horizon majestueux de ses neiges
et de ses glaciers : Grenade présente à la fois tous ces aspects divers; son
Alhambra doré se détache étincelant sur les neiges de la Sierra, tandis qu'à
ses pieds le palmier balance sa tête au-dessus des orangers et des cyprès.

Telle est la ville des peintres et des poëtes; c'est celle-là que nous essaierons
de montrer; mais aux palais, aux beautés modernes de Grenade, nous préfé-
rerons ses vieilles murailles, ses maisons de bois avec leurs Patios (1) ombragés
d'arbustes et de vignes, ces broderies, ces ornements délicats, et surtout ces
monuments empreints du génie d'une nation qui n'a laissé nulle part des restes
aussi brillants de sa haute civilisation.

(1) Cours au centre de l'habitation, imitation exacte du cavædium romain.

Danjoy del.   De seururicaux lith.   Lith. de Benard & Frey, rue de l'Abbaye 4.

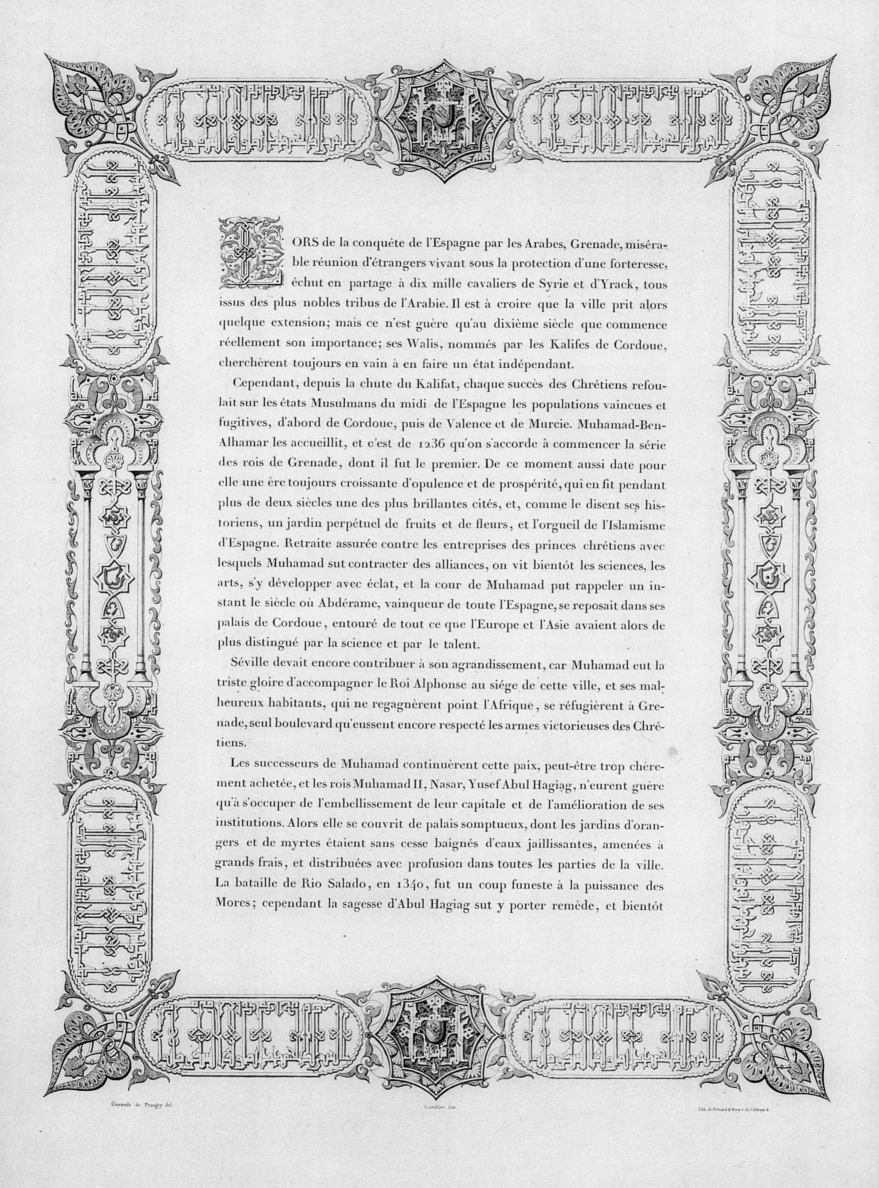

ORS de la conquête de l'Espagne par les Arabes, Grenade, misérable réunion d'étrangers vivant sous la protection d'une forteresse, échut en partage à dix mille cavaliers de Syrie et d'Yrack, tous issus des plus nobles tribus de l'Arabie. Il est à croire que la ville prit alors quelque extension; mais ce n'est guère qu'au dixième siècle que commence réellement son importance; ses Walis, nommés par les Kalifes de Cordoue, cherchèrent toujours en vain à en faire un état indépendant.

Cependant, depuis la chute du Kalifat, chaque succès des Chrétiens refoulait sur les états Musulmans du midi de l'Espagne les populations vaincues et fugitives, d'abord de Cordoue, puis de Valence et de Murcie. Muhamad-Ben-Alhamar les accueillit, et c'est de 1236 qu'on s'accorde à commencer la série des rois de Grenade, dont il fut le premier. De ce moment aussi date pour elle une ère toujours croissante d'opulence et de prospérité, qui en fit pendant plus de deux siècles une des plus brillantes cités, et, comme le disent ses historiens, un jardin perpétuel de fruits et de fleurs, et l'orgueil de l'Islamisme d'Espagne. Retraite assurée contre les entreprises des princes chrétiens avec lesquels Muhamad sut contracter des alliances, on vit bientôt les sciences, les arts, s'y développer avec éclat, et la cour de Muhamad put rappeler un instant le siècle où Abdérame, vainqueur de toute l'Espagne, se reposait dans ses palais de Cordoue, entouré de tout ce que l'Europe et l'Asie avaient alors de plus distingué par la science et par le talent.

Séville devait encore contribuer à son agrandissement, car Muhamad eut la triste gloire d'accompagner le Roi Alphonse au siége de cette ville, et ses malheureux habitants, qui ne regagnèrent point l'Afrique, se réfugièrent à Grenade, seul boulevard qu'eussent encore respecté les armes victorieuses des Chrétiens.

Les successeurs de Muhamad continuèrent cette paix, peut-être trop chèrement achetée, et les rois Muhamad II, Nasar, Yusef Abul Hagiag, n'eurent guère qu'à s'occuper de l'embellissement de leur capitale et de l'amélioration de ses institutions. Alors elle se couvrit de palais somptueux, dont les jardins d'orangers et de myrtes étaient sans cesse baignés d'eaux jaillissantes, amenées à grands frais, et distribuées avec profusion dans toutes les parties de la ville. La bataille de Rio Salado, en 1340, fut un coup funeste à la puissance des Mores; cependant la sagesse d'Abul Hagiag sut y porter remède, et bientôt

Girault de Prangey del.   Cavallier lith.   Lith. de Bénard & Frey r. de l'Abbaye 4.

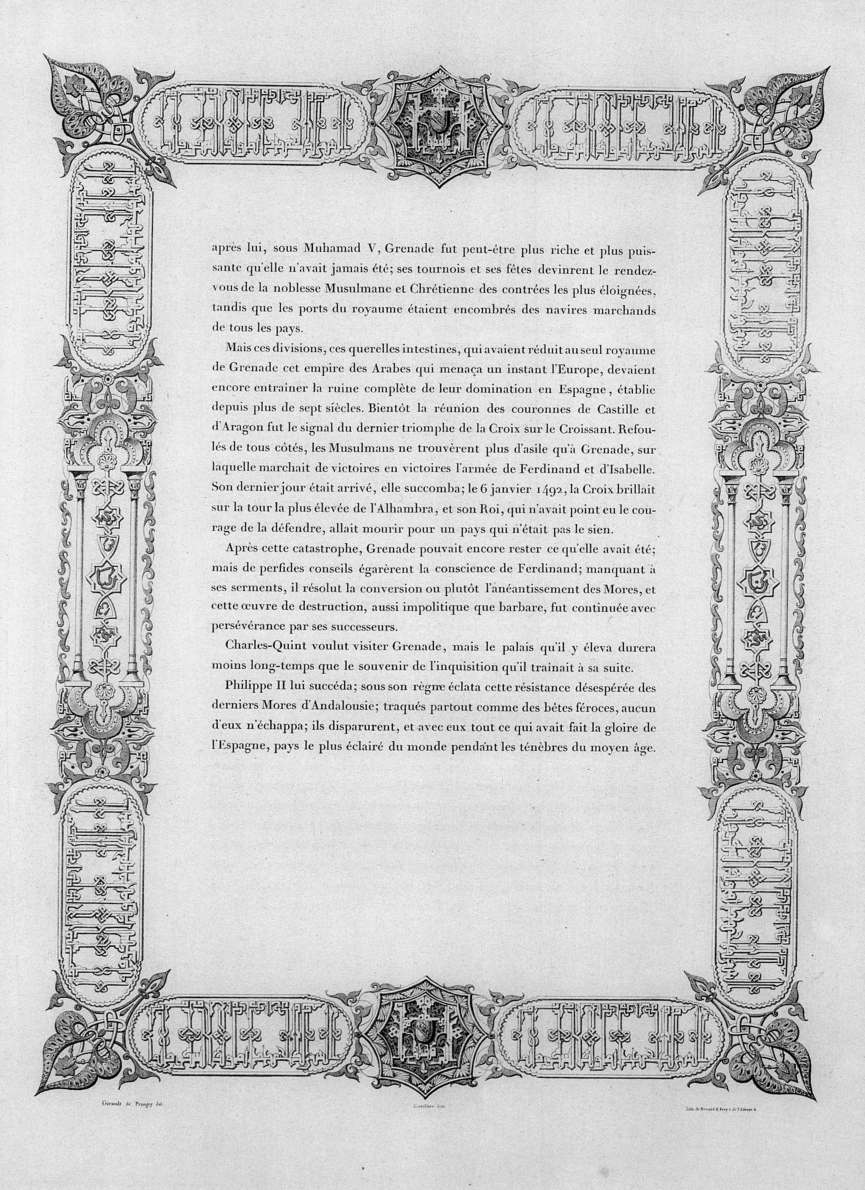

après lui, sous Muhamad V, Grenade fut peut-être plus riche et plus puissante qu'elle n'avait jamais été; ses tournois et ses fêtes devinrent le rendez-vous de la noblesse Musulmane et Chrétienne des contrées les plus éloignées, tandis que les ports du royaume étaient encombrés des navires marchands de tous les pays.

Mais ces divisions, ces querelles intestines, qui avaient réduit au seul royaume de Grenade cet empire des Arabes qui menaça un instant l'Europe, devaient encore entraîner la ruine complète de leur domination en Espagne, établie depuis plus de sept siècles. Bientôt la réunion des couronnes de Castille et d'Aragon fut le signal du dernier triomphe de la Croix sur le Croissant. Refoulés de tous côtés, les Musulmans ne trouvèrent plus d'asile qu'à Grenade, sur laquelle marchait de victoires en victoires l'armée de Ferdinand et d'Isabelle. Son dernier jour était arrivé, elle succomba; le 6 janvier 1492, la Croix brillait sur la tour la plus élevée de l'Alhambra, et son Roi, qui n'avait point eu le courage de la défendre, allait mourir pour un pays qui n'était pas le sien.

Après cette catastrophe, Grenade pouvait encore rester ce qu'elle avait été; mais de perfides conseils égarèrent la conscience de Ferdinand; manquant à ses serments, il résolut la conversion ou plutôt l'anéantissement des Mores, et cette œuvre de destruction, aussi impolitique que barbare, fut continuée avec persévérance par ses successeurs.

Charles-Quint voulut visiter Grenade, mais le palais qu'il y éleva durera moins long-temps que le souvenir de l'inquisition qu'il traînait à sa suite.

Philippe II lui succéda; sous son règne éclata cette résistance désespérée des derniers Mores d'Andalousie; traqués partout comme des bêtes féroces, aucun d'eux n'échappa; ils disparurent, et avec eux tout ce qui avait fait la gloire de l'Espagne, pays le plus éclairé du monde pendant les ténèbres du moyen âge.

Girault de Prangey del. Cuvillier lith. Lith. de Bénard & Frère r. de l'Abbaye 4.

APRÈS avoir traversé la place de Bivarambla, le Zacatin, l'Alcayséria et ces rues populeuses et étroites de Grenade, dont la physionomie Moresque, ainsi que le nom, se sont également conservés, c'est une sensation délicieuse de trouver les fontaines limpides, les fraiches allées de peupliers et d'ormeaux qui précèdent l'Alhambra (1). A la Porte des Grenades, construite par Charles-Quint, commencent les bois et les vergers qui environnent de toutes parts cette reine des forteresses; à droite, une voûte sombre de verdure, sous laquelle étincellent les eaux d'un ruisseau bruyant qui suit ses détours, conduit par une pente rapide à la fontaine de Charles-Quint; la Porte du Jugement s'élève au-dessus; elle conserve encore ses marbres, ses inscriptions et son arc gigantesque, dont le caractère et la couleur rappellent les ruines imposantes du Temple de la Paix à Rome, ou celles du Palais doré de Néron (2). Ses salles obscures dépassées, on est bientôt au centre de la Place des Algives, vaste esplanade qui divisait l'Alhambra en deux parties bien distinctes : l'une toute fortifiée dominait la ville par ses tours et ses murailles crénelées (3), tandis que l'autre, beaucoup plus étendue, ne renfermait que les Palais du Prince et ceux des principaux officiers. L'Alcazaba a gardé la plupart de ses tours : la plus célèbre, la Véla, commande toujours Grenade et sa plaine; mais celles de l'Arméria, Quebrada et de l'Homénage couvrent chaque jour le sol de leurs débris, et doivent bientôt disparaitre entièrement. En face, mais de l'autre côté de la place, d'autres ruines plus modernes reportent au temps où Charles-Quint voulut fixer sa cour à Grenade, et fit commencer en 1526, d'après les plans et sous la direction de l'architecte Berruguèté, ce palais somptueux dont les colonnades et les portiques attendent encore une couverture. Ce fut pour lui faire place et l'isoler qu'on détruisit alors une partie du Palais des Rois Mores: la jolie Porte du Vin fut heureusement épargnée, et dut peut-être sa conservation à l'usage trivial auquel on la destina (4). Telle qu'elle est encore aujourd'hui, défigurée par ces toits et ces masures qui l'écrasent, c'est un chef-d'œuvre d'élégance et d'originalité : la netteté de ses profils, la délicatesse de ses détails et de ses mosaïques, en font un des plus précieux ornements de l'Alhambra. Au-delà du Palais de Charles-Quint, et près des murs d'enceinte, des pans de murailles couverts de stucs et de débris de faïence, ne laissent point douter que peu d'années ont dû s'écouler depuis l'entière disparition d'un palais qu'on suppose avoir été celui du Mufti: d'immenses décombres cachés sous des berceaux de vignes et d'arbustes sarmenteux, de vigoureux figuiers

(1) Planche 18.   (2) Planche 3.   (3) Planche 23.   (4) Planche 10.

Girault de Prangey del.   A.ᵉ Cuvillier lith.   Lith. de Benard et Frey.

s'élançant çà et là du milieu des ruines, et toute cette scène rehaussée par l'éclat des neiges de la Sierra, donnent à ces lieux l'aspect le plus pittoresque ; c'est la végétation brillante et colorée des vallons de Sorrente ou de Civita-Castellana, aux pieds de la Jungfrau ou du Mont-Blanc.

A la Place des Algives, rien ne révèle encore les merveilles de ces lieux ; le Palais de Charles-Quint attire seul les regards, et le côté opposé à celui par lequel on arrive ne présente que des murailles nues et salies par le temps ; mais une porte simple et sans ornements qu'on n'avait point aperçue, s'ouvre tout-à-coup, et c'est l'Alhambra. Rien n'égale la magnificence de ce premier coup d'œil : la Tour de Comarès s'élève majestueuse à l'extrémité d'une cour immense ; des galeries, des colonnes, des plates-bandes de fleurs, des fontaines jaillissantes, l'environnent de toutes parts, et cette scène éclatante de lumière se reproduit tout entière dans les eaux transparentes d'un magnifique bassin (1). A droite, à travers des colonnes et des arcs qui se croisent en tous sens, on devine la Fontaine des Lions à ces sillons d'argent qui brillent au loin (2) ; mais l'attention est absorbée par la magie de couleur et d'effet du tableau principal. Au fond, sous la galerie, une arcade encore chargée d'or, d'argent et d'azur, sert d'entrée à l'Antisala : cette pièce, de toute la largeur de la Cour de l'Alberca, a partout sa voûte merveilleuse de bois de cèdre incrustée de mille dessins aux couleurs vives et variées : à ses deux extrémités, deux demi-colonnes recouvertes de mosaïques supportent les pendentifs de la voûte, qui se termine par un hémicycle, forme qui a fait donner à la pièce le nom de salle de la Barca. Restaurée bien des fois depuis la conquête, mais avec goût et habileté, c'est la partie de l'Alhambra qui a le mieux conservé sa magnificence et son caractère primitif. Les Palais anciens de Tunis offrent encore aujourd'hui, au moins pour la forme, mais à part toute perfection d'exécution, des copies presque exactes de ses plafonds en bois peints et sculptés, de ses inscriptions, de ses ornements en stuc et de ses mosaïques à entrelacs si originales ; à Tunis comme à Grenade, les mêmes couleurs dominent toujours ; c'est l'or, le blanc, le vermillon, les verts émeraude et foncés, et surtout l'outre-mer, qu'on prodigue partout, même sur les marbres les plus riches.

La salle des Ambassadeurs est la plus imposante et la plus somptueuse de l'Alhambra ; sa voûte, encore couverte d'incrustations de bois peint ou doré, résiste depuis près de cinq siècles aux injures du temps : elle s'élève à plus de soixante pieds du sol, et tout cet espace sur les quatre côtés de la salle présente la plus étonnante combinaison de formes, d'ornements et de détails que l'ima-

(1) Planche 21.   (2) Planche 4.

Girault de Prangey del.   At Cuvillier lith.   Lith. de Rewerd et Frey.

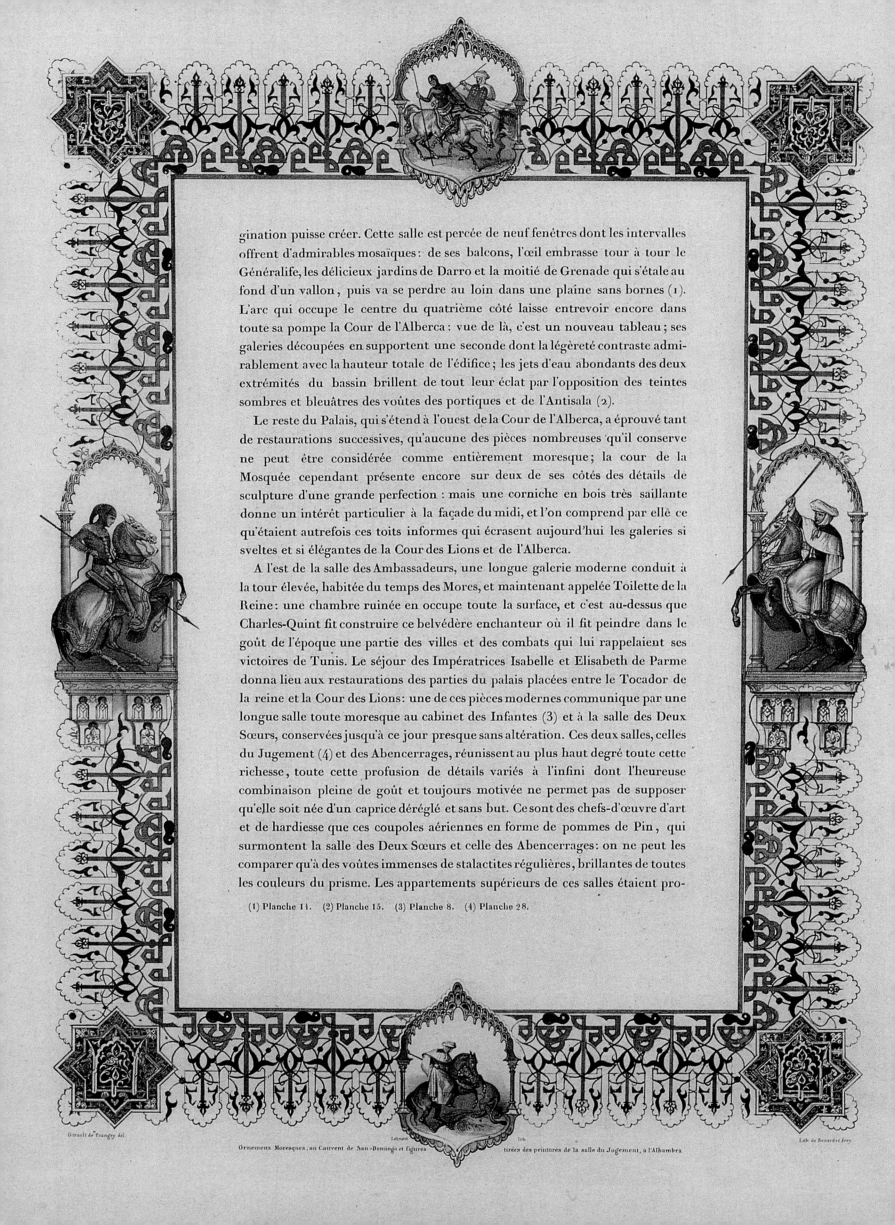

gination puisse créer. Cette salle est percée de neuf fenêtres dont les intervalles offrent d'admirables mosaïques: de ses balcons, l'œil embrasse tour à tour le Généralife, les délicieux jardins de Darro et la moitié de Grenade qui s'étale au fond d'un vallon, puis va se perdre au loin dans une plaine sans bornes (1). L'arc qui occupe le centre du quatrième côté laisse entrevoir encore dans toute sa pompe la Cour de l'Alberca: vue de là, c'est un nouveau tableau; ses galeries découpées en supportent une seconde dont la légèreté contraste admirablement avec la hauteur totale de l'édifice; les jets d'eau abondants des deux extrémités du bassin brillent de tout leur éclat par l'opposition des teintes sombres et bleuâtres des voûtes des portiques et de l'Antisala (2).

Le reste du Palais, qui s'étend à l'ouest de la Cour de l'Alberca, a éprouvé tant de restaurations successives, qu'aucune des pièces nombreuses qu'il conserve ne peut être considérée comme entièrement moresque; la cour de la Mosquée cependant présente encore sur deux de ses côtés des détails de sculpture d'une grande perfection : mais une corniche en bois très saillante donne un intérêt particulier à la façade du midi, et l'on comprend par elle ce qu'étaient autrefois ces toits informes qui écrasent aujourd'hui les galeries si sveltes et si élégantes de la Cour des Lions et de l'Alberca.

A l'est de la salle des Ambassadeurs, une longue galerie moderne conduit à la tour élevée, habitée du temps des Mores, et maintenant appelée Toilette de la Reine: une chambre ruinée en occupe toute la surface, et c'est au-dessus que Charles-Quint fit construire ce belvédère enchanteur où il fit peindre dans le goût de l'époque une partie des villes et des combats qui lui rappelaient ses victoires de Tunis. Le séjour des Impératrices Isabelle et Elisabeth de Parme donna lieu aux restaurations des parties du palais placées entre le Tocador de la reine et la Cour des Lions: une de ces pièces modernes communique par une longue salle toute moresque au cabinet des Infantes (3) et à la salle des Deux Sœurs, conservées jusqu'à ce jour presque sans altération. Ces deux salles, celles du Jugement (4) et des Abencerrages, réunissent au plus haut degré toute cette richesse, toute cette profusion de détails variés à l'infini dont l'heureuse combinaison pleine de goût et toujours motivée ne permet pas de supposer qu'elle soit née d'un caprice déréglé et sans but. Ce sont des chefs-d'œuvre d'art et de hardiesse que ces coupoles aériennes en forme de pommes de Pin, qui surmontent la salle des Deux Sœurs et celle des Abencerrages: on ne peut les comparer qu'à des voûtes immenses de stalactites régulières, brillantes de toutes les couleurs du prisme. Les appartements supérieurs de ces salles étaient pro-

(1) Planche 14.   (2) Planche 15.   (3) Planche 8.   (4) Planche 28.

Girault de Prangey del.   Lehnert lith.   Lith. de Benard et Frey.
Ornemens Moresques, au Couvent de San-Domingo et figures tirées des peintures de la salle du Jugement, a l'Alhambra.

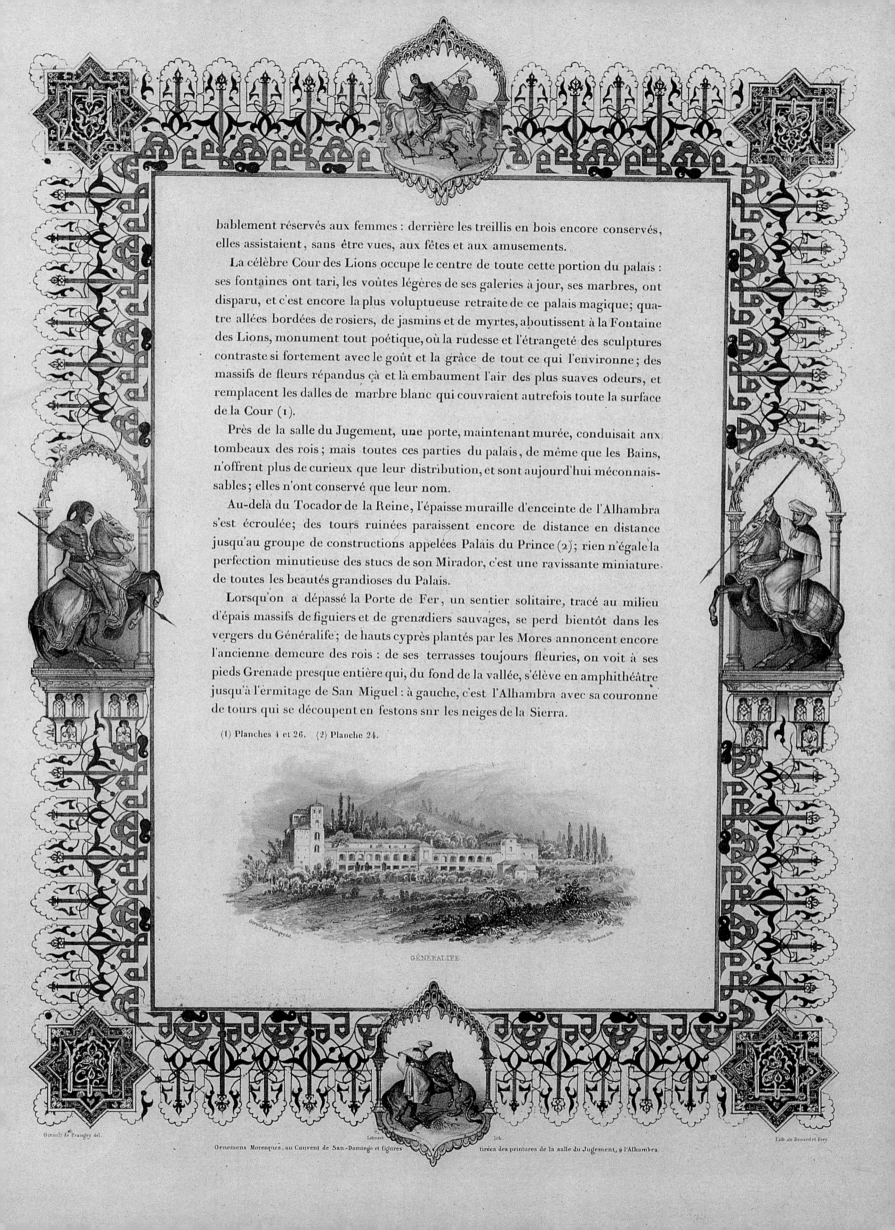

bablement réservés aux femmes : derrière les treillis en bois encore conservés, elles assistaient, sans être vues, aux fêtes et aux amusements.

La célèbre Cour des Lions occupe le centre de toute cette portion du palais : ses fontaines ont tari, les voûtes légères de ses galeries à jour, ses marbres, ont disparu, et c'est encore la plus voluptueuse retraite de ce palais magique; quatre allées bordées de rosiers, de jasmins et de myrtes, aboutissent à la Fontaine des Lions, monument tout poétique, où la rudesse et l'étrangeté des sculptures contraste si fortement avec le goût et la grâce de tout ce qui l'environne; des massifs de fleurs répandus çà et là embaument l'air des plus suaves odeurs, et remplacent les dalles de marbre blanc qui couvraient autrefois toute la surface de la Cour (1).

Près de la salle du Jugement, une porte, maintenant murée, conduisait aux tombeaux des rois; mais toutes ces parties du palais, de même que les Bains, n'offrent plus de curieux que leur distribution, et sont aujourd'hui méconnaissables; elles n'ont conservé que leur nom.

Au-delà du Tocador de la Reine, l'épaisse muraille d'enceinte de l'Alhambra s'est écroulée; des tours ruinées paraissent encore de distance en distance jusqu'au groupe de constructions appelées Palais du Prince (2); rien n'égale la perfection minutieuse des stucs de son Mirador, c'est une ravissante miniature de toutes les beautés grandioses du Palais.

Lorsqu'on a dépassé la Porte de Fer, un sentier solitaire, tracé au milieu d'épais massifs de figuiers et de grenadiers sauvages, se perd bientôt dans les vergers du Généralife; de hauts cyprès plantés par les Mores annoncent encore l'ancienne demeure des rois : de ses terrasses toujours fleuries, on voit à ses pieds Grenade presque entière qui, du fond de la vallée, s'élève en amphithéâtre jusqu'à l'ermitage de San Miguel : à gauche, c'est l'Alhambra avec sa couronne de tours qui se découpent en festons snr les neiges de la Sierra.

(1) Planches 4 et 26.   (2) Planche 24.

GÉNÉRALIFE.

Girault de Prangey del.   Lemnert   lith.   Lith. de Benard et frey.

Ornemens Moresques, au Couvent de San-Domingo et figures   tirées des peintures de la salle du Jugement, à l'Alhambra

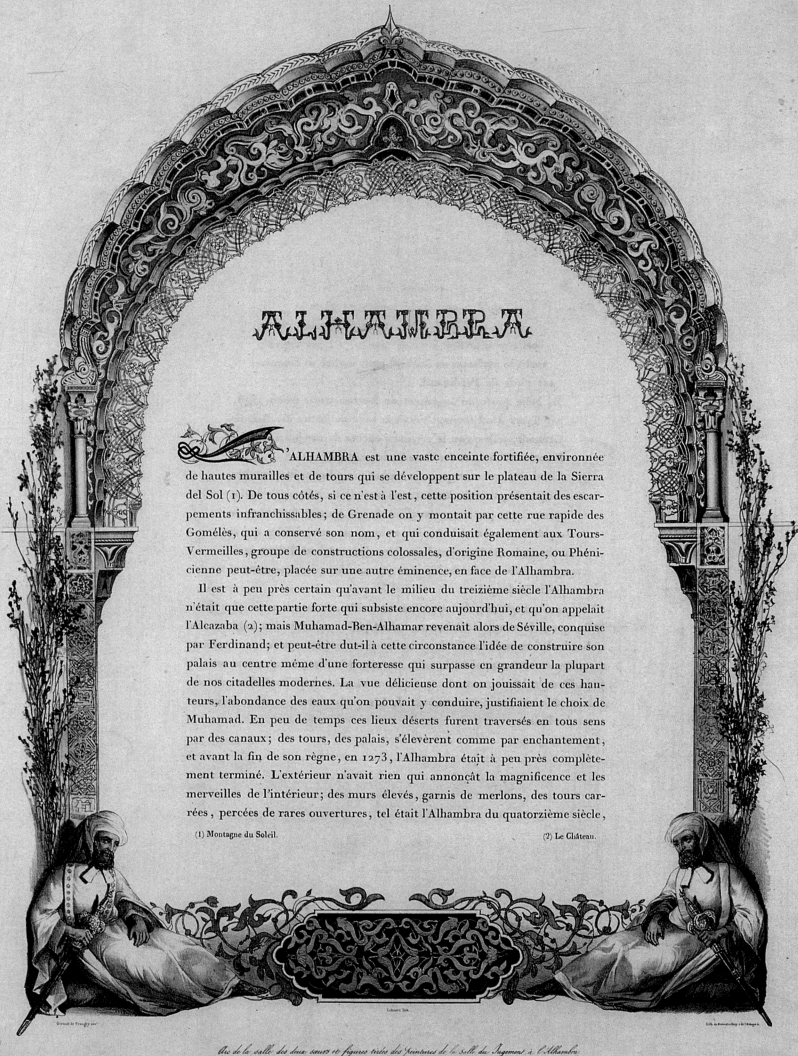

ALHAMBRA

'ALHAMBRA est une vaste enceinte fortifiée, environnée de hautes murailles et de tours qui se développent sur le plateau de la Sierra del Sol (1). De tous côtés, si ce n'est à l'est, cette position présentait des escarpements infranchissables; de Grenade on y montait par cette rue rapide des Gomélès, qui a conservé son nom, et qui conduisait également aux Tours-Vermeilles, groupe de constructions colossales, d'origine Romaine, ou Phénicienne peut-être, placée sur une autre éminence, en face de l'Alhambra.

Il est à peu près certain qu'avant le milieu du treizième siècle l'Alhambra n'était que cette partie forte qui subsiste encore aujourd'hui, et qu'on appelait l'Alcazaba (2); mais Muhamad-Ben-Alhamar revenait alors de Séville, conquise par Ferdinand; et peut-être dut-il à cette circonstance l'idée de construire son palais au centre même d'une forteresse qui surpasse en grandeur la plupart de nos citadelles modernes. La vue délicieuse dont on jouissait de ces hauteurs, l'abondance des eaux qu'on pouvait y conduire, justifiaient le choix de Muhamad. En peu de temps ces lieux déserts furent traversés en tous sens par des canaux; des tours, des palais, s'élevèrent comme par enchantement, et avant la fin de son règne, en 1273, l'Alhambra était à peu près complètement terminé. L'extérieur n'avait rien qui annonçât la magnificence et les merveilles de l'intérieur; des murs élevés, garnis de merlons, des tours carrées, percées de rares ouvertures, tel était l'Alhambra du quatorzième siècle,

(1) Montagne du Soleil.   (2) Le Château.

Lehnert lith.

Gernsil de Franchy sux.   Lith. de Boited et Sng: 1 de l'Odeage 4.

Arc de la salle des deux sœurs et figures tirées des peintures de la salle du Jugement à l'Alhambra.

A Paris, chez Veith et Hauser, Boul.d des Italiens, 11.

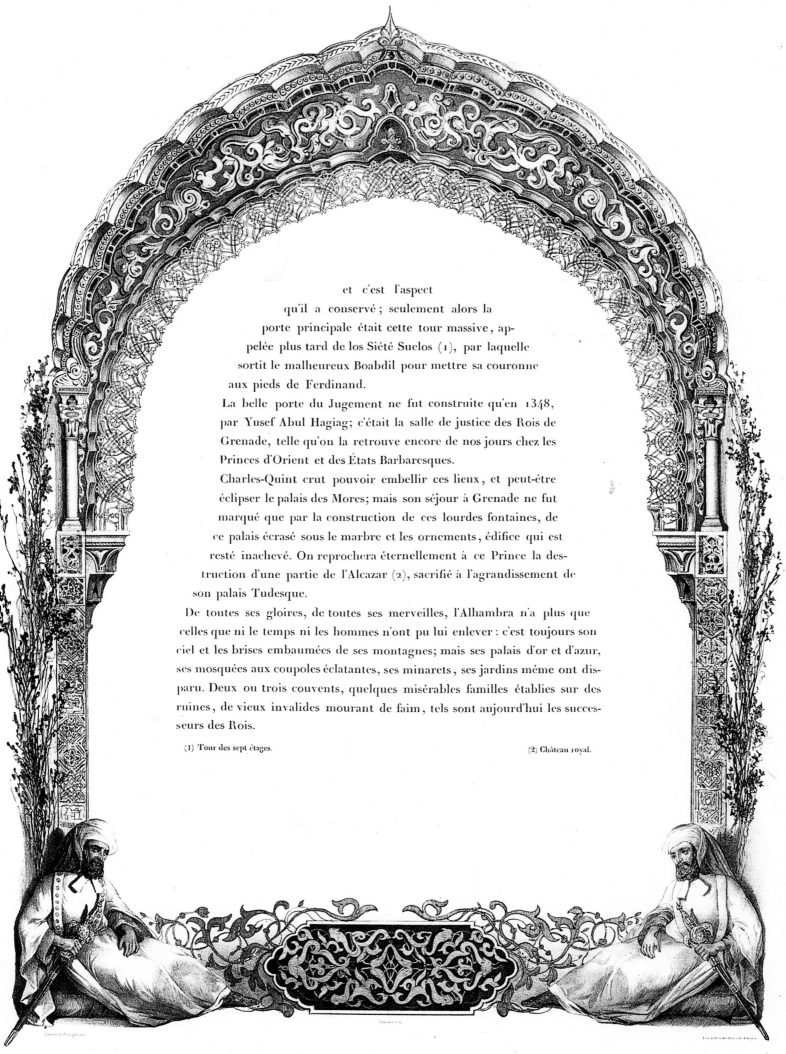

et c'est l'aspect
qu'il a conservé ; seulement alors la
porte principale était cette tour massive, appelée plus tard de los Siété Suelos (1), par laquelle
sortit le malheureux Boabdil pour mettre sa couronne
aux pieds de Ferdinand.

La belle porte du Jugement ne fut construite qu'en 1348,
par Yusef Abul Hagiag; c'était la salle de justice des Rois de
Grenade, telle qu'on la retrouve encore de nos jours chez les
Princes d'Orient et des États Barbaresques.

Charles-Quint crut pouvoir embellir ces lieux, et peut-être
éclipser le palais des Mores; mais son séjour à Grenade ne fut
marqué que par la construction de ces lourdes fontaines, de
ce palais écrasé sous le marbre et les ornements, édifice qui est
resté inachevé. On reprochera éternellement à ce Prince la destruction d'une partie de l'Alcazar (2), sacrifié à l'agrandissement de
son palais Tudesque.

De toutes ses gloires, de toutes ses merveilles, l'Alhambra n'a plus que
celles que ni le temps ni les hommes n'ont pu lui enlever : c'est toujours son
ciel et les brises embaumées de ses montagnes; mais ses palais d'or et d'azur,
ses mosquées aux coupoles éclatantes, ses minarets, ses jardins même ont disparu. Deux ou trois couvents, quelques misérables familles établies sur des
ruines, de vieux invalides mourant de faim, tels sont aujourd'hui les successeurs des Rois.

(1) Tour des sept étages.   (2) Château royal.

Arc de la salle des deux sœurs et figures tirées des peintures de la salle du Jugement à l'Alhambra

Explication des Planches.

Souvenirs de Grenade et de l'Alhambra.

FRONTISPICE.

On a conservé le galbe et les principaux ornements du vase Moresque qu'on voit aux Archives du Palais de l'Alhambra; plusieurs vases découverts en Sicile ont avec celui-ci la plus grande analogie de forme, d'exécution et de matière. Ils sont en terre vernissée et offrent généralement des dessins or et blanc, sur fond bleu d'azur.

PLANCHE II.

VUE DE GRENADE ET DE LA SIERRA-NÉVADA.

Prise des hauteurs de l'Albaysin, près de l'église San-Christobal.

L'Alhambra en occupe le centre, à gauche s'élève le Généralife au milieu de ses jardins et de ses cyprès; au loin brillent les neiges de la Sierra-Névada. Les murailles ruinées, au second plan, étaient celles de Grenade avant la construction du quartier de l'Albaysin, en 1229.

PLANCHE III.

PORTE DU JUGEMENT.

C'est l'entrée actuelle de l'Alhambra et l'ancienne salle de justice des Rois Mores; à gauche dominent les Tours Vermeilles, constructions colossales bien des fois réparées depuis, mais probablement antérieures à la fondation de Grenade. Les montagnes à l'horizon sont celles d'Elvira et de Loja.

PLANCHE IV.

ENTRÉE DE LA COUR DES LIONS.

PLANCHE V.

DÉTAILS DE LA COUR DES LIONS.

PLANCHE VI.

JARDIN DU COUVENT DE SAN-DOMINGO.

Ce couvent occupe l'emplacement d'un édifice moresque sur la destination duquel on n'est point d'accord. Ce qui paraît certain, c'est qu'il communiquait avec l'Alhambra, malgré son éloignement, par un de ces nombreux souterrains qui parcouraient la ville en tous sens. C'est une retraite délicieuse; la salle conservée à l'extrémité des jardins domine la Véga et offre dans ses décorations les plus gracieuses mosaïques, peut-être, du genre moresque. (Voir l'entourage du texte, feuille 5.)

PLANCHE VII.

CHEMIN DE LA FONTAINE D'AVELLANO.

Promenade très pittoresque de Grenade; on suit long-temps, avant d'arriver à la fontaine, un chemin taillé sur les pentes de la Sierra del Sol, au milieu de jardins d'orangers et de citronniers, appelés *Carmenes de Darro*.

PLANCHE VIII.

CABINET DES INFANTES.

Un des plus somptueux appartements de l'Alhambra; c'était probablement une salle de repos, car elle rappelle tout-à-fait celles des Palais de Tunis, d'Alger, et des villes de Barbarie où se réfugièrent les Mores après la conquête de Grenade. Les stucs sont exécutés avec une merveilleuse délicatesse, et ont conservé une partie de leurs peintures.

PLANCHE IX.

DÉTAILS. — CABINET DES INFANTES.

1 et 2. Chapiteaux de la cour des Lions. — 3 et 6. Portion de l'arc d'entrée du cabinet des Infantes. — 4 et 5. Frise et ornement des côtés de l'arc du fond. — 7. Mosaïque de la salle des Deux Sœurs.

PLANCHE X.

PORTE DU VIN.

Monument qui par son style semble contemporain de la Porte du Jugement. Son nom arabe se perdit lorsqu'en 1564 on obligea d'y déposer les vins qui servaient à la consommation de la forteresse et de la paroisse de l'Alhambra.

MAISON A L'ALBAYSIN.

Cette cour pittoresque, ombragée de vignes, est un souvenir frappant des anciennes habitations moresques, qui n'étaient elles-mêmes que des copies de ces gracieuses maisons que l'on admire à Pompéi. Comme à Tunis, souvent une toile tendue sur toute la cour tempère les ardeurs brûlantes du climat, tandis qu'une jolie fontaine jaillit au centre, entourée de fleurs et d'arbustes.

PLANCHE XI.

BAINS MORESQUES RUINÉS.

Salle principale d'un édifice presque complétement détruit, mais dont la désignation ne peut être douteuse, car l'on y retrouve encore tout ce qui constitue un Bain Moresque de nos jours : une cour d'entrée avec chambres autour, une première salle, puis une autre plus grande (celle dessinée), puis une troisième avec estrades, lits de repos, se terminant par un jardin. (Voir le plan général de ces Bains, pl. 30.) C'est encore là une copie exacte des Bains antiques dans leur ensemble et dans tous leurs détails. Les chapiteaux des colonnes de cette salle sont fort curieux et remontent peut-être aux X° ou XI° siècles. Les caractères Koufiques très anciens que conserve l'un d'eux attestent leur origine et leur époque. (Voir pl. 22.)

PLANCHE XII.

JARDIN DU GÉNÉRALIFE.

Type original des jardins d'Andalousie, l'entrée du Généralife présente l'aspect le plus pittoresque et le moins prévu; des ifs séculaires, courbés en arcades, ombragent le cours d'une fontaine terminée par un jet d'eau qui s'élève à la hauteur des galeries du palais. Le Généralife sur lequel on a tant discuté est un modèle d'une foule de constructions d'Afrique qui n'ont d'autre emploi que de recevoir pour quelques instants l'heureux possesseur de ces demeures. Par fois un corps de logis accompagne les jardins et les kiosques, et c'est alors une Villa complète, ayant un Harem, des Bains, et tous les accessoires obligés d'une habitation Moresque.

PLANCHE XIII.

LOS HORNAJOS, ROUTE DU PIC DE VÉLÉTA.

Au centre de la Sierra-Névada, chaîne de montagnes aux neiges éternelles, le pic de Véléta s'élève majestueusement à une hauteur rivale du Mont Rosa. De son sommet, que l'on atteint plus facilement qu'aucun autre d'élévation semblable, l'on découvre Gibraltar, les côtes de Barbarie, Ceuta et toutes les Alpujarras. On a sous ses pieds le vaste bassin qui reçoit Grenade et sa Véga, terminé par les montagnes d'Elvira, de Jaën, et au loin par la Sierra-Morena. Les scènes qu'offre partout la route ont un caractère particulier de désolation et d'horreur que ne présente aucun site des Alpes, des Apennins, ni même des montagnes de Calabre.

PLANCHE XIV.

COUR DE L'ALBERCA. — FENÊTRE NORD, SALLE DES AMBASSADEURS.

Les fenêtres de la salle des Ambassadeurs donnent près de neuf pieds à l'épaisseur moyenne des murailles de la Tour de Comares, bâtie, comme toutes celles de l'Alhambra, d'un mélange principal de chaux et de terre très colorée. Cette manière de construire paraît avoir été pratiquée exclusivement par les Mores d'Espagne, comme elle l'est encore généralement par les nations du Levant et de la Barbarie. Ces dernières, cependant, l'ont améliorée par l'addition de la paille et du bois qui lient plus intimement entre eux les matériaux. C'était cette préparation grossière qui recevait les mosaïques vernissées de toutes couleurs, et les ornements en stuc dont la dureté, le brillant et la finesse surtout, n'ont jamais été égalés depuis. On retrouve avec intérêt à peu près le même système de décoration dans les églises Normandes de la Sicile, et surtout dans les palais de la Ziza et de la Cuba, élevés à Palerme par les Arabes, ou par des ouvriers de cette nation, pendant les règnes des Roger et des Guillaume.

PLANCHE XV.

COUR DE L'ALBERCA.

Du temps des Mores, on y arrivait par la porte au centre de la galerie à laquelle aboutit aujourd'hui un vaste escalier qui réunit cette cour au palais de Charles-Quint. Les colonnes des galeries, et surtout l'arc d'entrée, ont conservé leurs ornements peints et dorés.

PLANCHE XVI.

DÉTAILS. — COUR DE L'ALBERCA.

1, 2 et 3. Chapiteaux et ornements de l'arc central. — 4. Portion de l'arcade principale. —9, 10, 11. Détails des petits arcs en pendentifs du n° 4. — 5 et 6. Demi-colonnes sur lesquelles reposent les pendentifs de la salle de la Barca. — 7 et 8. Détails des chapiteaux de ces demi-colonnes.

PLANCHE XVII.

MAISON DE CHAPIE.

L'Albaysin, habité principalement par les Mores, après la conquête, présente dans presque toutes ses maisons, des cours, des galeries, des colonnes, des fontaines, qui rappellent l'Alhambra. La maison de Chapie conserve quelques restes de décorations en stuc, des colonnes élégantes en marbre de Macaël, et surtout un *Patio* tout construit en bois, et de l'aspect le plus pittoresque.

PLANCHE XVIII.

PROMENADE ET TOURS D'ENCEINTE DE L'ALHAMBRA.

L'ancienne porte de l'Alhambra, au centre de la Tour de Los Siete Suelos (des sept étages) qui s'élève à droite, appuyée contre la muraille d'enceinte, est aujourd'hui masquée par un bastion du temps de Charles-Quint, et d'épais massifs de figuiers et de grenadiers. La belle promenade qui passe à ses pieds conduit de Grenade au Généralife à travers des bois délicieux rafraîchis par les eaux qui s'échappent de toutes parts, et embaumés par les parfums des mille jardins des environs. Malgré tous ces charmes, elle est toujours solitaire et abandonnée, si ce n'est à la fin de l'automne, où la fête d'une sainte révérée y attire la population entière de la ville. Les Tours au centre du dessin sont celles de la Véla, Québrada, et plus bas celle de la Porte du Jugement.

PLANCHE XIX.

ÉPÉE MORESQUE.

Cette épée précieusement conservée au Généralife est généralement regardée comme ayant appartenu au roi Boabdil ou à quelque prince de sa race. C'est peut-être la seule épée moresque qu'on voie à Grenade, où, à l'exception de quelques pièces de monnaie, on ne retrouve presque aucun objet qui appartienne à l'époque Arabe.

PLANCHE XX.

SALLE DE LA TOUR DES INFANTES.

Cette Tour est fort remarquable par sa distribution intérieure, commode et complète. (Voir le plan, pl. 30.) Elle avait deux étages, dont le plus élevé était probablement destiné aux femmes : il est à demi détruit ainsi que la coupole ; les chambres du rez-de-chaussée ont moins souffert, mais ont cependant perdu une partie de leurs ornements.

PLANCHE XXI.

COUR DE L'ALBERCA.

Cette cour, la plus vaste de l'Alhambra, occupait, du moins on le pense, le centre du Palais des Rois Mores, car il est à peu près impossible de vérifier aujourd'hui les travaux d'exploration faits à diverses époques, et notamment vers 1802, par les architectes de l'Académie de San-Fernando. D'après leur plan, approuvé par le judicieux auteur d'un petit ouvrage sur l'Alhambra, publié à Grenade en 1804, le Palais Arabe occupait un carré long de 454 pieds sur 250, et renfermait cinq Patios, dont le principal était celui de l'Alberca, appelé souvent del Meschouar ou de los Arrayanes (des Myrtes). A l'est se trouvait le Patio des Lions, puis à côté un autre entièrement détruit, il y a déjà longtemps, par l'éboulement d'une partie de la montagne, et aujourd'hui remplacé par le Jardin de Lindaraja. A l'ouest, deux autres Patios correspondaient symétriquement à ceux de l'est, mais il n'en reste presque rien si ce n'est quelques parties des habitations qui environnaient celui du nord. La façade principale était au midi et présentait une grande porte centrale donnant entrée à un vestibule qui précédait la cour de l'Alberca.

On regrette de ne voir cité à l'appui de cette opinion si générale aucun exemple d'une disposition analogue dans les palais Arabes anciens et modernes.

PLANCHE XXII.

DÉTAILS DIVERS.

1. Arc, galerie ouest de la Cour des Lions. —2. Frise. —3. Portion d'une fenêtre près le cabinet des Infantes. — 4. Bas-relief moresque, le seul qu'on rencontre à Grenade. L'inscription qui l'entoure, quoique très fruste, indique par le caractère des lettres qu'il appartient probablement au XIV° siècle. — 5. Mosaïques de la Salle des Ambassadeurs. — 6. Fontaine des Lions ; hauteur du sol à la coupe supérieure 2m,13 ; diamètre de la vasque principale 2m,51. — 7. Un des lions de la Fontaine, hauteur du sol à la tête 0m,85. — 8. Chapiteaux des Bains Moresques. (Pl. 11, et pl. 30.) — 9. Ornements en losanges remplissant l'espace au-dessus des arcs de la Cour des Lions.

PLANCHE XXIII.

PLACE NEUVE A GRENADE.

La Place Neuve est l'une des plus vastes de Grenade ; elle repose en partie sur des voûtes fort remarquables attribuées aux Romains, mais certainement entretenues et réparées par les Mores. Sous ces voûtes s'échappe le courant, souvent très impétueux, du Darro, qui descend des montagnes voisines et se réunit au Xénil, presque au centre de la ville. Le Palais de la Chancellerie, bâti, dit-on, sur les plans d'un architecte Français, est le principal ornement de cette place. Près de là plusieurs églises offrent dans leurs plafonds de curieuses imitations de ceux de l'Alhambra, et leurs campaniles sont souvent ornés de carreaux de faïence à la manière moresque.

PLANCHE XXIV.

CÔTE DES MOULINS.

Ravin pittoresque, à l'est de l'Alhambra, traversé par un ruisseau qui fait mouvoir quelques moulins cachés sous des berceaux de vignes et de figuiers. Il offre partout des sites admirables que domine toujours le groupe imposant du Palais du Prince, du Tocador de la Reine, et de la belle Tour de Comarès.

PLANCHE XXV.

DÉTAILS. — COUR DES LIONS.

a. Frise. — b. Inscription en mosaïque du Cabinet des Infantes. — c. Frise.
1, 2, 3. Anciens bois qui supportaient la partie saillante des toits des galeries de la Cour des Lions. Il est fort rare de pouvoir en retrouver. — 4. Portion du grand arc central de cette cour et de celui qui lui est adjacent. — 5 et 6. Arcs doubleaux de ces deux arcs. —7. Entablement qui règne sur toute l'étendue de la cour, au-dessus des arcs. — 8. Portion d'une Porte double en cèdre, de la salle des Deux Sœurs. — 9. Détails de la partie supérieure de cette porte. — 10. Pièce de marbre dans laquelle roulait le montant inférieur.

PLANCHE XXVI.

COUR DES LIONS.

La Cour des Lions présente, au centre de ses deux petits côtés, d'élégants pavillons malheureusement en ruines, quoique réparés bien des fois, mais avec plus de zèle que de talent. L'occupation de Grenade par les Français fut profitable à ses monuments ; l'Alhambra désert et encombré de débris fut presque entièrement recouvert et restauré, et ses fontaines coulèrent de nouveau au milieu de massifs de fleurs et d'arbustes plantés avec goût.

PLANCHE XXVII.

DANSES ET COSTUMES DE GRENADE.

PLANCHE XXVIII.

SALLE DU JUGEMENT.

La salle du Jugement renferme des peintures fort curieuses sur l'origine desquelles on n'est point d'accord. Ces tableaux, vifs de couleur et d'un dessin naïf, rappellent le style et la manière des peintures Chinoises et des miniatures des manuscrits Persans. Ce qui semblerait aussi contribuer à prouver qu'ils ont pu être l'ouvrage des Mores, c'est l'analogie qu'ils présentent dans leur mode de préparation et d'exécution avec ceux qu'on rencontre en Barbarie, et surtout à Maroc. Une particularité fort remarquable de ces peintures, c'est qu'elles sont exécutées sur des peaux d'animaux cousues ensemble, puis collées et attachées sur les bois qui forment la voûte.

PLANCHE XXIX.

PLAN GÉNÉRAL DE LA FORTERESSE DE L'ALHAMBRA. — PLAN PARTICULIER DU PALAIS DE L'ALHAMBRA.

On a adopté pour ce plan l'échelle du même plan récemment publié à Londres, afin de constater plus facilement quelques différences qui existent entre eux. On n'a donné que les parties Moresques du Palais, et signalé par une teinte particulière ou laissé inachevées celles dont l'origine ou la construction présentaient quelques doutes.

PLANCHE XXX.

COUPES DU PALAIS DE L'ALHAMBRA.

1. Détails des arcades centrales de la cour de l'Alberca.
2. Détails des divers arcs de la Cour des Lions.
Coupes sur les lignes A B C D F G H — KL — MN — OP du Plan, Pl. 29.

Fin.

PL. 2

GRENADE

VUE DE GRENADE ET DE LA SIERRA NEVADA.

GRENADE.

Gérault de Prangey del.

Lith. de Bichebois lith. figures par Bayot.

Lith. de Benard & Frey, rue St Thomas 4.

PORTE DU JUGEMENT

Paris chez Veith et Hauser Bould des Italiens 11.

Dessiné de François del. Coopers lith. Eg. par Bayot. Lith. de Benard et Frey e de l'Abbaye a.

ENTRÉE DE LA COUR DES LIONS, ALHAMBRA.

A Paris, chez Veith et Hauser, Boul.d des Italiens a.

DÉTAILS . — COUR DES LIONS.

À Paris, chez Veith et Hauser, Boul.d des Italiens, 11

Pl. 6

Giraud et Pougin del.

Hubert lith.

Lith de Benard, Bry rue de l'Abbaye 6

JARDIN DU COUVENT DE SAN DOMINGO.

A Paris, chez Veith et Hauser, Boul.^d des Italiens 11

GRENADE.

CHEMIN DE LA FONTAINE D'AVELLANO

Girault de Prangey del.

Bichebois lith fig et arbres.

Lith de Bénard et Frey, rue de l'Abbaye 4.

à Paris, chez Veith et Hauser, Boul^d des Italiens, 11.

Girault de Prangey del.

Villernin lith. fig par H. Alophe.

Lith. de Benard et Frey, rue de l'Abbaye 4.

CABINET DES INFANTES. ALHAMBRA.

A Paris, chez Veith et Hauser, Boul.d des Italiens, 11.

DÉTAILS DU CABINET DES INFANTES.

Paris, chez Veith et Hauser, Boul.d des Italiens, 11.

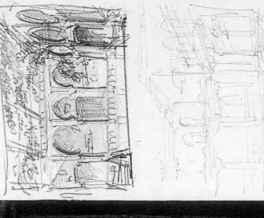

MAISON A L'ALBAYSIN

GRENADE.

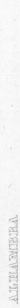

PORTE DU VIN · ALHAMBRA

ANCIENS BAINS MORESQUES, RUINES.

Girault de Prangey del.

Monthelier lith.

Lith de Bénard et Frey, rue de l'Abbaye 4.

Paris, chez Veith et Hauser, Boulevard Italiens 11.

GRENADE

Grenade de Prangey del.

Schröder lith. Cuj. par Engel.

Lith. de Benard et Frey à Salzbourg 1.

JARDIN DU GENERALIFE

à Paris, chez Veith et Hauser, Boul.ᵈ des Italiens. n.

Girault de Prangey del.

Salador lith. Fig. par Bayot.

L. de Bernadet Pereg, r. de l'Abbaye.

LOS HORNAJOS, ROUTE DU PIC DE VELETA.

à Paris chez Veith et Hauser, Boul. des Italiens, 11.

GRENADE

Guonié de Prangéy del.

Vigne par Rapel.

Lith. de Bensdet Imp. rué de l'Abbaye 4.

ALHAMBRA.   FENÊTRE NORD, SALLE DES AMBASSADEURS

ENTRÉE DE LA COUR DE L'ALBERCA.

A Paris chez Veith et Hauser, Boul.¹ des Italiens, 11.

Girault de Prangey del.   Montbélier lith. figures par Bayot.   L. de Brunod et Frey, r. de l'Abbaye 4.

COUR DE L'ALBERCA, ALHAMBRA.

à Paris, Chez Veith et Hauser, Boul.ᵈ des Italiens n.

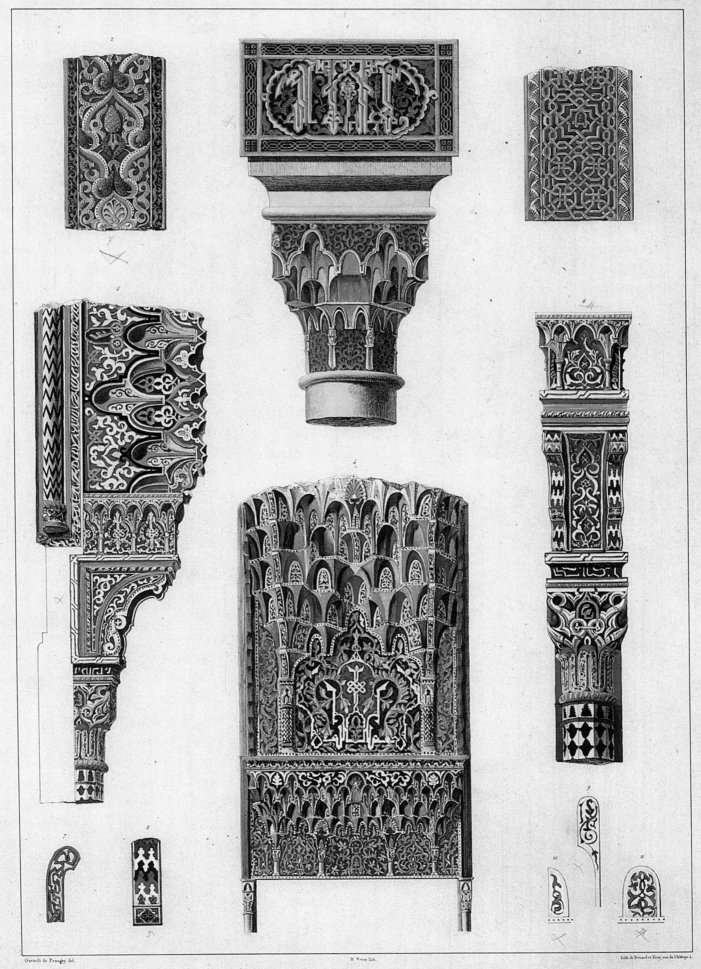

DÉTAILS , COUR DE L'ALBERCA.

Girault de Prangey del.

H Wuays lith.

Lith. de Benard et Frey, rue de l'Abbaye 4.

à Paris, chez Veith et Hauser, Boul.d des Italiens, u.

Girault de Prangey delt.

Villeneuve lith.

Lith. de Benard et Frey, rue de l'Abbaye 4.

COUR DE LA MAISON DE CHAPIZ, A L'ALBAYSIN

Paris chez Veith et Hauser, boul.d des Italiens 11.

GRENADE.

Dessiné de Nature par Taylor.

Lith. Royale Imp.re de l'Image.

PROMENADE ET TOURS D'ENCEINTE DE L'ALHAMBRA.

à Paris, chez Veith et Hauser, Boul.t des Italiens, 11.

Pl 19

Hauteur de l'Épée 1^m. 073.

Girault de Prangey del.

Danjoy lith.

Lith de Bénard et Frey.

ÉPÉE MORESQUE.

Paris, chez Veith et Hauser, Boul. des Italiens, 11.

Girault de Prangey del.

Monthelier lith. Fig. par Bayot

Lith. de Bernard et Frey

SALLE DE LA TOUR DES INFANTES

Paris, chez Veith et Hauser, Boul.ᵈ des Italiens 11.

Pl. 21

ENTRÉE DE LA COUR DE L'ALBERCA.

à Paris, chez Veith & Hauser, Boul. des Italiens, 11

Girault de Prangey del.

Asselineau lith.

Lith. de Benard et Frey.

DÉTAILS DIVERS. ALHAMBRA.

Pl. 23

Garrault de Prangey del.

Chapuy lith. fig.t par Bayot.

Lith. de Benard et frep.

PLACE NEUVE A GRENADE

Paris, chez Veith et Hauser, boul.t des Italiens, N°11.

Pl 24.

Géruzet de France. del.   Bichebois lith. fig par Bayot.   Lith. de Bernard et Frey.

COTE DES MOULINS.

Paris, chez Veith et Hauser, boul. des Italiens, 11.

Pl. 25.

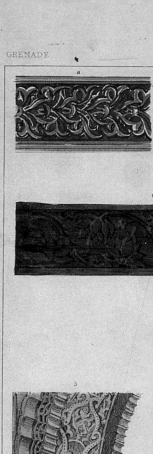

Girault de Prangey del.   Lehnert lith.   Lith. de Benard & Frey.

DÉTAILS, COUR DES LIONS. ALHAMBRA

Chez Veith et Hauser, boul.^d des Italiens 10.

Grenade Françry Escq.t

Chapuy lith. figure & pet.t

Lith. de Benard Imp.r

COUR DES LIONS. ALHAMBRA.

A Paris, chez Veith et Hauser, Boul.d des Italiens, 11.

Pl. 27.

Deyst et Schuler del. et lith.

Lith. de Bernard et Frey

Paris, chez Veith et Hauser, bould. des Italiens, 11.

DANSES ET COSTUMES DE GRENADE

Girault de Prangey del.   Villemin lith fig par Bayot   Lith. de Bénardet Frey.

SALLE DU JUGEMENT. ALHAMBRA.

Paris, chez Veith et Hauser, Boul. des Italiens.

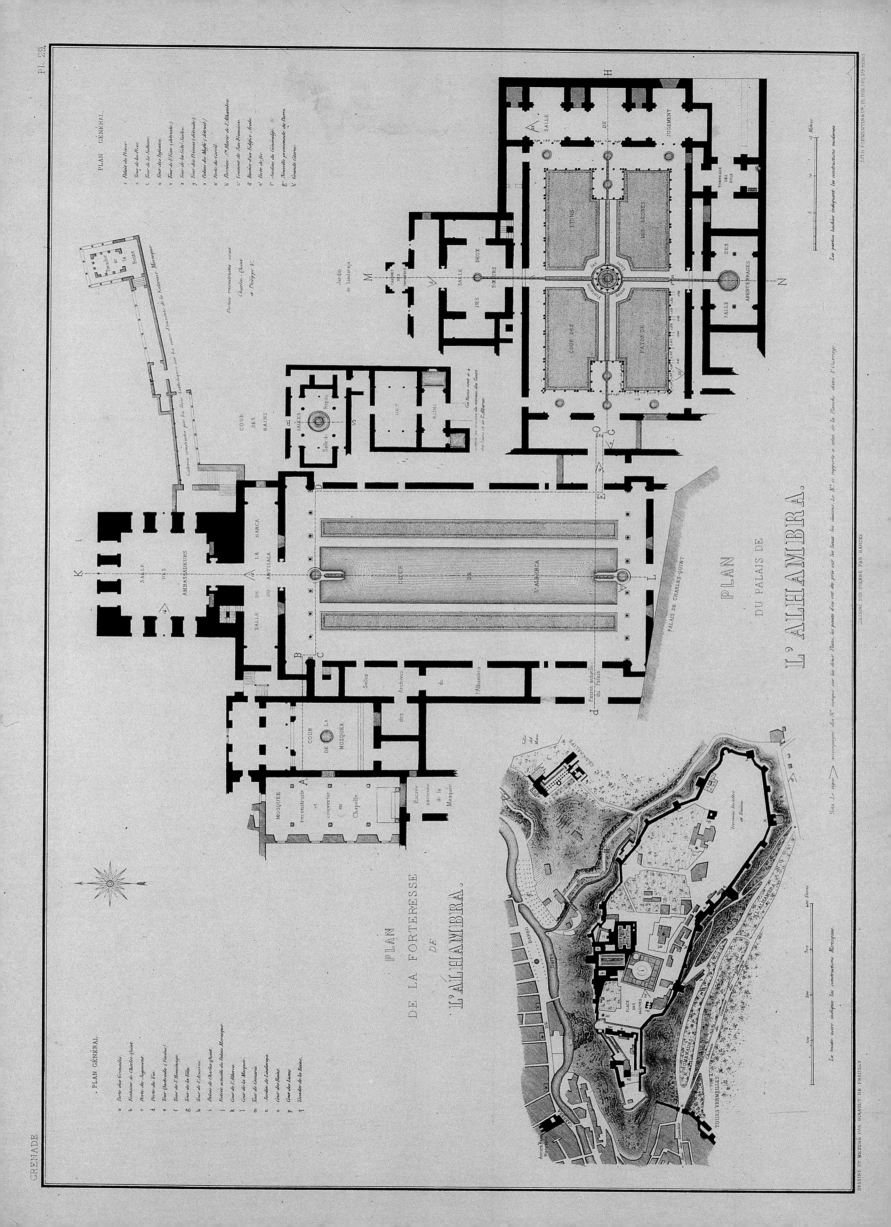

PLAN GÉNÉRAL.

PLAN GÉNÉRAL.

PLAN
DU PALAIS DE
L'ALHAMBRA.

PLAN
DE LA FORTERESSE
DE
L'ALHAMBRA.

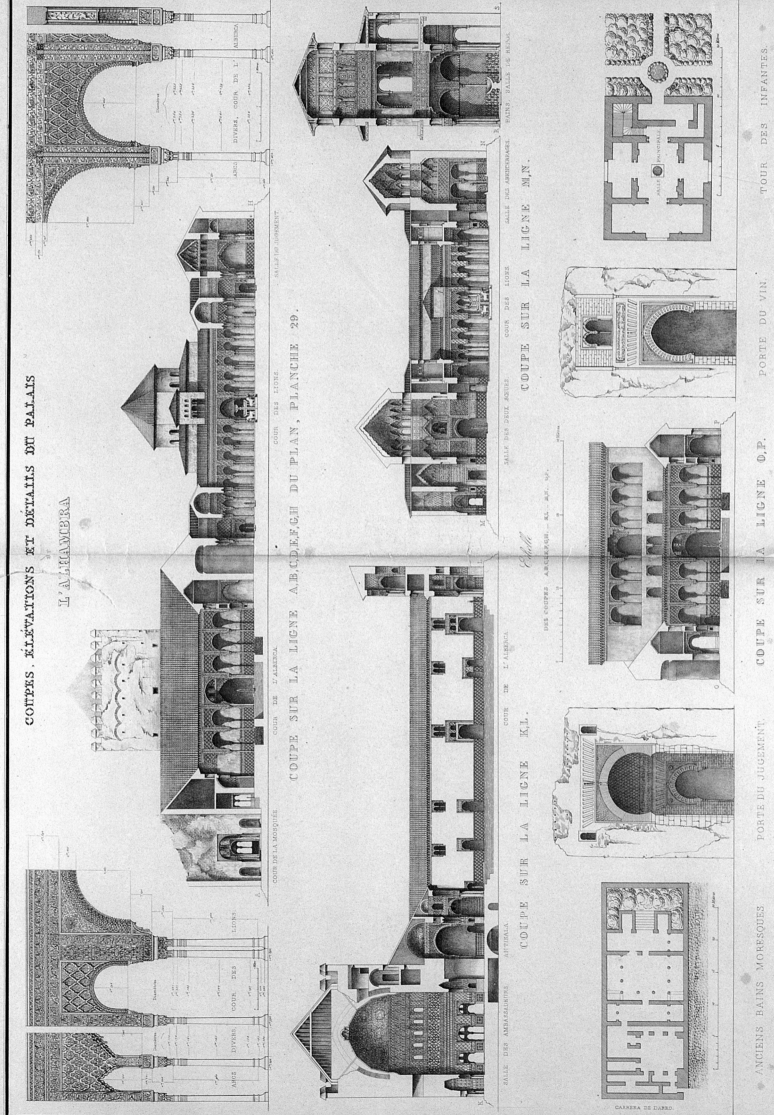

SOUVENIRS DE GRENADE ET DE L'ALHAMBRA

L'ALHAMBRA

COUPES, ÉLÉVATIONS ET DÉTAILS DU PALAIS

COUR DE LA MOSQUÉE — COUR DE L'ALBERCA — COUR DE L'ALBERCA — SALLE DU JUGEMENT — COUR DES LIONS

COUPE SUR LA LIGNE A,B,C,D,E,F,G,H DU PLAN, PLANCHE 29.

SALLE DES AMBASSADEURS — ANTÉSALA

COUPE SUR LA LIGNE K,L.

ARCS DIVERS, COUR DES LIONS — SALLE DES DEUX SŒURS — COUR DES LIONS — SALLE DES ARCHEMBRAGES — BAINS, SALLE DE REPOS

COUPE SUR LA LIGNE M,N.

COUPE SUR LA LIGNE O,P.

ARCS DIVERS, COUR DE L'ALBERCA

DES COUPES ABCDEFGH — K,L. M,N. O,P.

Échelle

CARRERA DE DARRO.

ANCIENS BAINS MORESQUES — PORTE DU JUGEMENT — PORTE DU VIN — TOUR DES INFANTES.

SALLE PRINCIPALE

DESSINÉ ET MESURÉ PAR GIRAULT DE PRANGEY.
LITHOGRAPHIÉ PAR BENARD ET FREY.
Chez Veith et Hauser-Karlsruhe à Carlsruhe.
IMPRIMÉ PAR BENARD ET FREY.